人生のしまい方

残された時間を、
どう過ごすか

平方 眞

CCCメディアハウス

はじめに――人生のしまい方、考えたことがありますか？

昨年11月、あるPRポスターが、公開された途端に大炎上しました。

お笑いタレントの小籔千豊《こやぶかずとよ》さんを起用した、「人生会議」を普及・啓発する内容のポスターです。死の間際、病院で酸素チューブをつけられているらしい小籔さんの様子が写真で表現され、心のつぶやきがコピーになっていました。

「まてまてまて

俺の人生ここで終わり？

大事なこと何にも伝えてなかったわ」

から始まり、最後は、

「『人生会議』しとこ」

という言葉で締めくくられています。

さまざまな団体からの抗議を受けてポスターの配布は中止となり、ニュースでも大きく取り上げられました。この一件で、人生会議という言葉を初めて知った人も多かったのではないでしょうか。「人生会議って何だろう？」と心に引っかかった人もいたかもしれません。

瀕死の状態の人がつぶやいている設定のポスターを見て、ドキッとする人や、心をえぐられた気分になる人はいるでしょう。大切な人を失って後悔や心の傷を抱えている人にとっては、その傷を深くしてしまう危険は十分にあります。病院に配布する予定だったと聞いて、中止して正解だと思いました。

一方、どんなに若くて元気な人でも、小籔さんが演じているように、突然命に関わる病気や怪我に見舞われる可能性はあります。

日ごろ、そういうことをまったく考えたことのない人たちに、また、何となく自分の人生の終え方に不安を感じながらも直視しないでいる人たちに、人生会議という言葉が響くといいと私は感じました。ポスターは発送中止になりましたが、人生会議という言葉まで消えてほしくはないと思ったのです。

このポスターに抗議する意見の中に「医療従事者や介護従事者が加わらない人生会

議はあり得ない」というものがありました。

たしかに医療や介護の現場での人生会議を考えると、本人や家族だけで人生会議は成り立ちません。しかし、ポスターのような突然の命の危機に備えて若い人がしておく人生会議に、医療従事者や介護従事者が関わる場面はないとしても、それも人生会議であることに違いはありません。

厚生労働省（以下、厚労省）の広報では、人生会議とは「人生の最期にどんな医療を受けたいか」「最期のときをどこで迎えたいか」など、本人を中心に話し合うことが例に挙げられています。

つまり人生会議とは、人生の最期の時間をどう過ごすかを周囲の人と共に考えること、人生のしまい方を考えるための話し合いだということです。

自分の人生がどのように終わるか、たいていの人はわかりません。終わりが近づいてきたときに見通しが立てられて、時間と気持ちの余裕があれば、死に対する準備は十分できるかもしれません。

しかし、その余裕がないほど急に進む病気もありますし、時間があっても何もしないでいて、気づいたら死が目の前に迫っているかもしれない。そんなとき、人は「こんなはずじゃなかった」と思うでしょう。

私は、人生の最期に「こんなはずじゃなかった」と思わないためにする会話は、すべて人生会議といっていいというくらいに、人生会議の幅をかなり広く考えています。

この本には、私が緩和ケア医として向き合ってきた、たくさんの人との会話を書きましたが、いま振り返ると「あのとき話したことは人生会議だったな」「これも人生会議だね」と思うものがたくさんありました。

ただし、人生会議の定義は一つには定まっていませんし、私の考えを押しつけようとも思わないので、この本では「人生会議」という言葉で会話をくくることはしませんでした。

介護の現場で働く人たちが考える、人生のしまい方。

緩和ケアに携わる医療従事者が考える、人生のしまい方。

救急現場にいる医療従事者が考える、人生のしまい方。

小籔千豊さんのポスターを見た一般の人が考える、人生のしまい方。

これらすべてが少しずつ違っているのが現状で、それはそれでいいと思います。「延命治療はしたくない」とか、「最期はどこで過ごしたい」という医療や介護の話だけではなく、人生最期の希望を叶えることや、亡くなったあとに家族が困らないようにすることも、後悔のない、これでよかったと思える人生の締めくくりをするために、欠かすことのできない大切なことだと考えます。

そこで、本書では私と患者さんが経験してきた「人生の最終段階」でのさまざまな話し合いを、ケーススタディとして紹介していきます。

ほとんどが実話ですが、一部脚色したところもあります。また、複数の患者さんを一人のようにまとめた話もあります。そのため、実名で書いてもらって構わないといっていただいた方も含めて、すべて仮名にさせていただきました。しかし、内容はどれも私が実際に経験したこと。私の身近で起こった「人生のしまい方」のお話です。

第4章　さまざまな、人生をしまう話し合い

第1章

人生の最終段階を
考える

人生の最期を考える話し合い

いきなり「最期」という文字が出てきて、気が滅入った人もいるのではないでしょうか。「こんな本は読みたくない」と、思った人もいるかもしれません。でも、読んでほしくて書いている本なので、そんな人も少し辛抱して読み進めていただけると、うれしいです。

元気で毎日暮らしている人が、人生の最期をイメージするのはなかなか難しいものです。すすんで考えたいことではないですし、よほどの重病などで差し迫った思いを持っている人でない限り、自分に引き寄せて考えるのは難しいでしょう。

とはいえ、この世に生を受けた人は、全員が1日1日と死へ向かって歩みを進めています。切羽詰まってからではなく、元気なときにできる範囲で考えておくことが大事だと、私は思っています。

本章では、厚労省が中心になって広めようとしている「人生会議」とは何かを紹介しながら、人生のしまい方について一緒に考えたいと思います。そのあとに、私の専門である緩和ケアと看取りについても、少し説明していきます。

人生会議とは、人生の最終段階を迎えたときの医療やケアについて、本人の意思を尊重し、身近な人と話し合うことです。「最期にどんな医療を受けたいのか」「どこで最期を迎えたいのか」「何をしてほしいのか」などを中心に話し合っていきます。

なぜ話し合いが必要かというと、命に関わる何かが起きてしまったとき、多くの場合、自分の意思を伝えることができなくなっているからです。

人生会議のもともとの名称は、ACP：Advance Care Planning（アドバンス・ケア・プランニング）といいます。直訳すると、次の通りです。

Advance＝一歩進んだ

Care＝ケア（世話、看護、養護、介護）

Planning＝計画すること

医療や介護の現場では以前からACPと呼ばれていましたが、一般の人にも広く浸透させていくため、2018年に「人生会議」と名づけられました。厚労省のホームページには次のように書かれています。

誰でも、いつでも、命に関わる大きな病気や怪我をする可能性があります。命の危険が迫った状態になると、約70パーセントの方が、医療やケアなどを自分で決めたり望みを人に伝えたりすることが、できなくなるといわれています。

自らが希望する医療やケアを受けるために大切にしていることや望んでいることと、どこでどのような医療やケアを望むかを自分自身で前もって考え、周囲の信頼する人たちと話し合い、共有することが重要です。

もしものときのために、あなたが望む医療やケアについて、前もって考え、繰り返し話し合い、共有する取り組みを「人生会議（ＡＣＰ）」と呼びます。

ただし、実際は細かい内容まで明確な定義があるわけではありません。本書では、医療やケアだけではなく、人生の最期を考えるさまざまな話し合いを、広い意味で人生会議ととらえていきたいので、もう少し視野を広げて考えてみます。

あなたが人生の最期に大切にしたいことは、何でしょうか。たとえば、次のようなことが考えられます。

・仕事や社会的な役割をできるだけ続けたい
・好きなことや趣味を楽しく続けたい
・家族の負担にならない範囲で、家で暮らしたい
・犬や猫などペットと一緒に暮らしたい
・痛みや苦しみがあるのはいやだ
・無理な延命治療は受けたくない

大切にしたいこと、やりたいことは人それぞれに違うので、自由に思いつくままに挙げてみましょう。

会議＝話し合いは、一人ではできません。必ず話をする相手が必要です。これはとても大切なポイントだと、私は考えています。もしものときのことを話しておきたい人、お互いの価値観を認め合える人と一緒に、これらの内容を話し合っていきます。配偶者、親、子ども、友人、医療従事者などが考えられます。

本人が「話をしたい」と切り出すのではなく、家族のほうから「そろそろ人生の締めくくり方について考えてみない？」と提案するケースもあるでしょう。高齢者に多

いパターンです。その場合も、本人の気持ちをじっくりと聞いていきましょう。話し合ったことは、必ず記録します。気持ちは心身の状態によって変わるもの。変化するのが当たり前です。何度でも話し合ったり、考えたりしましょう。そのたびに、また記録を重ねていきます。

意思を表明することは大事ですが、それ以上に大事なのは「考える機会を持つこと」です。考えた結果を関わる人みんなで共有して最期のときまで尊重し、悔いのない終末期を過ごすこと。そうして、本人も残される人も、納得し、満足できるようにすることです。

これまでの方法と人生会議をつなげる

私はこれまで緩和ケア医として3000人以上を看取る中で、どんな最期を過ごしたいかを話し合うことは、人が死を迎える上で非常に大切だと感じてきました。それは、寿命が近づいた高齢者の場合も、がんなどの場合も、突然の事故や病に倒れた場合も同様です。

私は厚労省の施策に関わる立場ではありませんが、人生会議の普及に力を入れるのは大賛成です。ただし、こうした取り組みを国や自治体を挙げて推進していくと、型にはまってしまう恐れもあると危惧しています。

たとえば、「積極的な治療はしない」とか、「家で死にたい」という同意を本人に取ることだけがＡＣＰ＝人生会議だという認識が広まると、いざというときの免罪符のように扱われかねないからです。

人生会議の本来の目的は、免罪符を手に入れることではありません。本人の考えを尊重し、残された時間を悔いなく過ごすことです。

ですから、医療や介護に範囲を限定せず、関わるすべての人が、本人が大切にしたいことに耳を傾け、それを大事にして人生の最期をトータルでうまく迎えられるようにすることを目指すべきだと思います。

これまでにも、命が終わるに当たって残される人に気持ちを伝える方法は、いろいろなものがありました。代表的なものに「遺言書」「リビングウイル」「エンディングノート」があります。

・遺言書

主に、遺産をどう相続するかについて指示するのが、遺言書の役割です。

それまで仲がよかった家族でも、遺産をどう分けるかをきっかけに断絶状態になった例は、私が直接知っているだけでも何家族かあります。

遺言書は正しく書かないと遺言書として認められないので、しっかり調べて書くか、専門家の助けを借りながら書くのが無難です。書くことができる内容は決まっていて、「みんな仲よくしてほしい」などのメッセージは、書けないことになっています。

・リビングウイル

これは、終末期医療における事前指示書ともいわれ、いざというときにどうしたいか、どうしてほしいかを書面にします。

主な内容は、意識が朦朧とするなど自分の意思を伝えられない状態になったときに、「自力で栄養が摂れなくなったら、栄養補給を含むすべての延命治療は止めてください」というようなものです。日本尊厳死協会に入会する方法もありますが、「リビングウイルを家族や主治医に書いたのでよろしく」と宣言するだけで、たいていの場合は守られます。

・エンディングノート

最近は、「終活」という言葉も一般的になり、エンディングノートを書く人も増えています。市販品もたくさんありますので、人生の最期について一人で考え、ノートに書いている人は多いかもしれません。

市販のエンディングノートには、急に具合が悪くなったときの対応のほか、財産について、借金について、連絡先についてなどたくさんの項目があります。

書くか書かないかは別にして、一度手にしてみると、何を考えなければならないかがわかるので、勉強になります。ただし十分に考えて書いたとしても、いざというときに家族が見つけられないと、意味がありません。

命が終わるに当たって残される人に意思を伝える手段は、ほかにもあります。

私からの提案は、遺言書、リビングウイル、エンディングノートなどを作成する段階で、自分一人での完結を目指さず、途中から家族を巻き込んでいくことです。

最初は、一人で考え始めるほうが方針は立てやすいでしょう。しかし、どこかのタイミングで家族も一緒になって考えるようにしたほうが、気持ちが伝わりやすいし、いざこざも起こりにくいと思います。

命の終わりが近づいたときに、いまと同じ明晰な頭脳で判断し、伝えることができるかどうかは、誰にもわかりません。

望んでいることは何か、不安に感じていることは何か。

家族や大事な人、医療ケアチームなどと共に繰り返し話し合い、正直な思いを話して共有しておけば、意識がなくなったときにも、周囲の人に思いを汲んでもらいながら看取ってもらうことができるのです。

日本は急速に「多死社会」へ向かっている

ここで、私が専門とする「緩和ケア」についても、ふれておきます。

もともと緩和ケアというのは、ホスピスのようなところで、もう治療のしようがなくなった人が受けるものと定義されていました。

しかし、2002年にWHO（世界保健機関）がその定義を修正し、「生命を脅かす疾患による問題に直面している患者とその家族に対して、痛みやそのほかの身体的問題、心理社会的問題、スピリチュアルな問題を早期に見出し、適切な評価と治療によって苦痛の予防と緩和を行うことでQOL（生活の質）を改善するアプローチである」としました。

わかりやすくいうと、「命に関わる病気で困っていることがあれば、困らないように手助けすること」のすべてを緩和ケアというようになったのです。

緩和ケアの定義はそれ以前に比べて大きく広がりましたが、長年人の死と向き合い続けてきた緩和ケアの経験から得たノウハウは、人生の最終段階である看取りの現場に生かせるものが多くあります。

私はこのノウハウを、すべての人が生きて生活している場所に広めていくべきだと考えています。

1975年ごろの日本は、毎年70万人くらいが死亡する社会でした（図1、22ページ参照）。しかし次第に増加傾向となり、現在では年ごとに3万人近く増えていて、

図1　死亡場所別、死亡者数の年次推移と将来推計

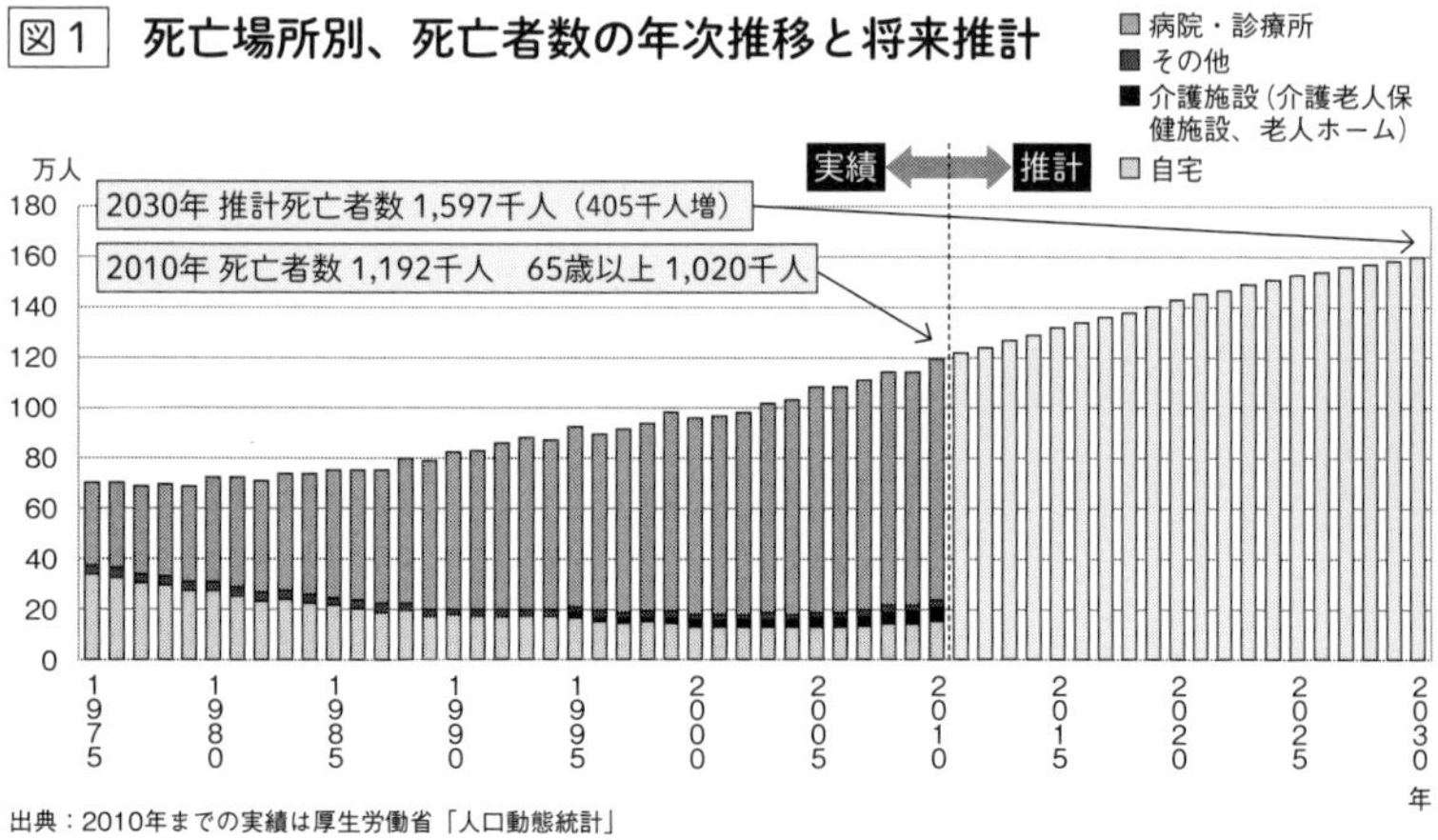

出典：2010年までの実績は厚生労働省「人口動態統計」
2011年以降の推計は国立社会保障・人口問題研究所「人口統計資料集（2006年度版）」から推定

年間約１３０万人が死亡しています。この増加傾向は当分続きます。

そして、２０３０年には死亡者数が約１６０万人、２０３８年には約１７０万人となってピークを迎えると予想されています。ピークを過ぎても、その後の30年は、毎年１５０万人以上が亡くなっていくとされています。

この理由は単純で、団塊の世代が平均寿命を迎えるためで、避けようがありません。日本は急速に、「多死社会」へと向かっているのです。

「多死社会」と聞いて残念なことばかりが起こりそうだと絶望的な気持ちになった人もいるかもしれません。しかし、私はさま

図2　主な死因別に見た死亡率（人口10万対）の年次推移

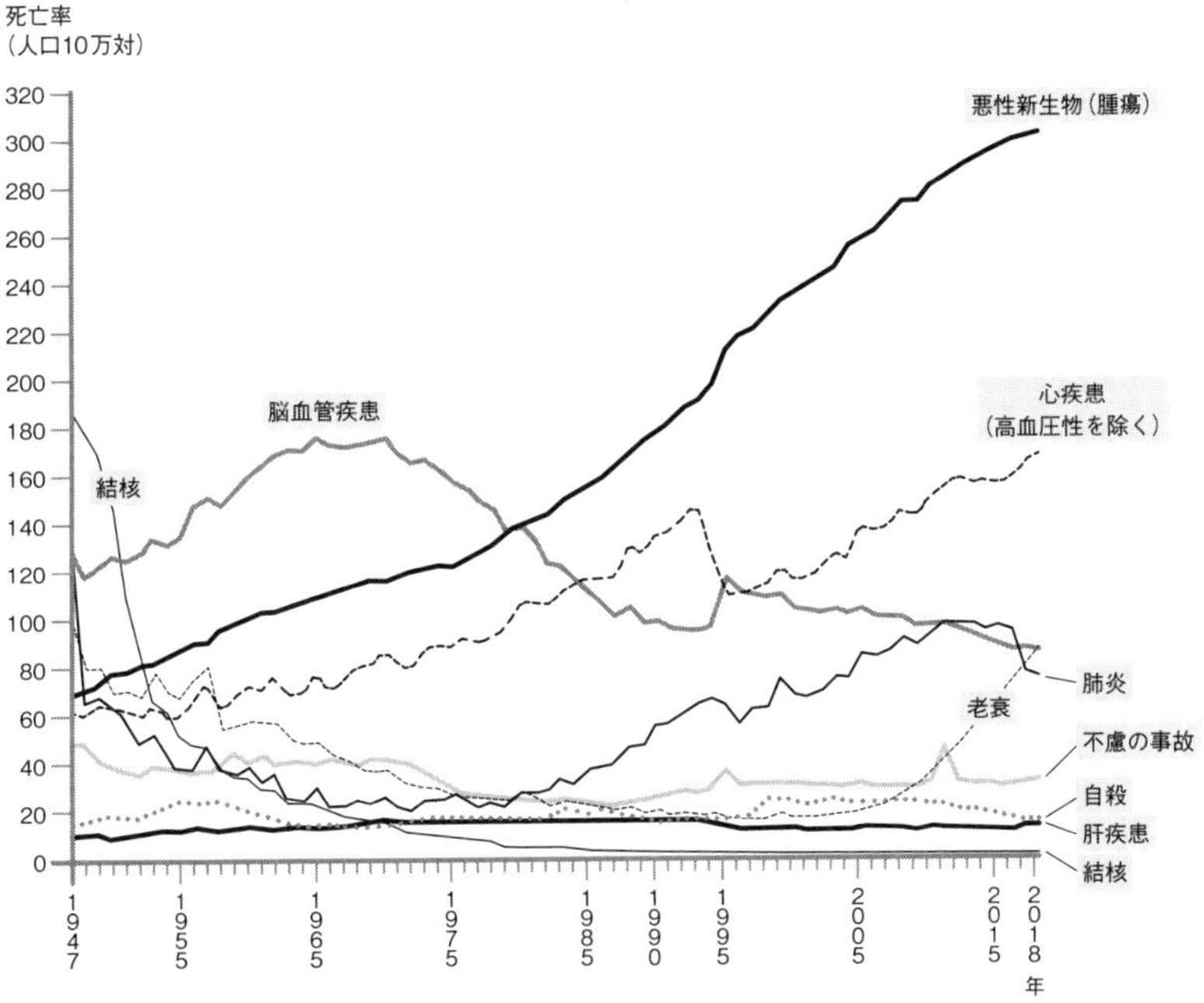

出典：厚生労働省 人口動態統計月報年計（概数）の概況（2018年）

ざまな面から見て、多死社会は悪いことばかりではないと考えています。その理由をいくつか説明します。

戦後、日本人の寿命は延び続け、若いうちに亡くなる人の数はとても少なくなりました。現在では、ほとんどの人が死に直面するのは、十分生きたと思える年齢に達してからです。十分生きたあとに死が訪れるのは、自然なこと。それを社会の中で常識にしていけば、死を自然に受け止めることができるでしょう。

多死社会を恐れることはありません。緩和ケアで「つらい症状を取り去る医学」も進歩しているので、死に向かう苦しさは、かなり少なくできるようになっています。

図2（23ページ参照）を見ると、1981年からがんが死亡原因のトップとなり、どんどん増え続けていることがわかります。さらに図3（25ページ参照）を見ると、高齢になるほどがんにかかる人が増えていることもわかります。

日本のがん医療がダメだから日本のがん死亡率が上がっているのではなく、医療が進んでほかの病気で死ななくなり、日本人が長生きになったことが、いちばんの理由です。

「そうはいっても、がんで死ぬのはつらいんでしょう」と思うかもしれません。

図3　がん死亡率〜年齢による変化（年齢階級別死亡率 2017年）

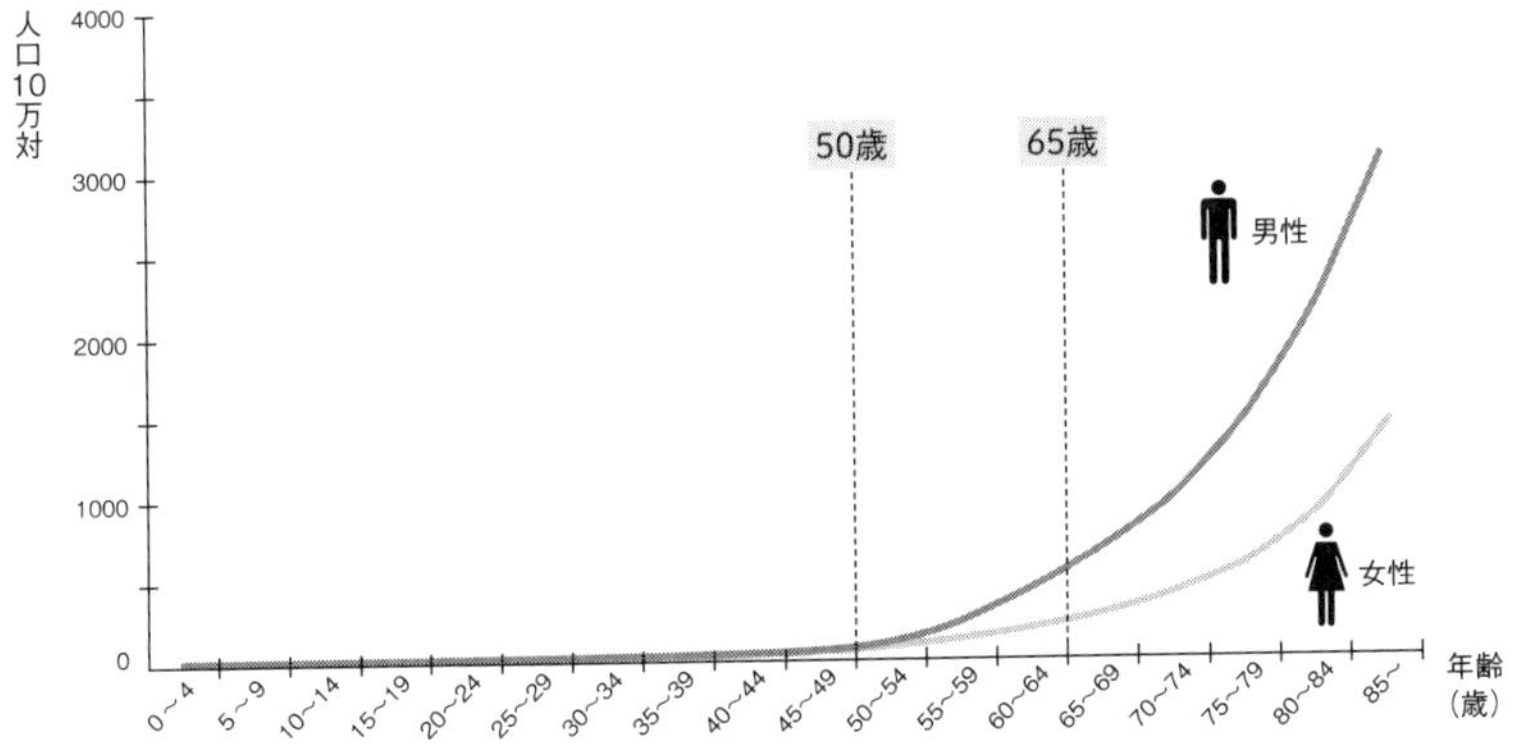

出典：国立がん研究センターがん対策情報センター

私も昔はそう思っていましたが、緩和ケア病棟で長く働くうちに、同じがんでも、若い人のほうがつらい症状の出現率が高いことに気づきました。

私の考えでは、若い人は体力があるので、がんがかなり進行してもまだ体力が残っていて命は続く。それに比べて、高齢者はスタート地点の体力が少ないので、つらい症状が出るほど進まないうちに命の終わりがやってくる。高齢になってからのがんは、老衰とあまり変わらない経過になり、つらくない人が多いのではないかと思います。

次に男女別での死亡数の図4、5（26ページ参照）を見ると、1947年には生後すぐや若いうちに亡くなる人が多く、長生

図4 死亡率の推移（男性）

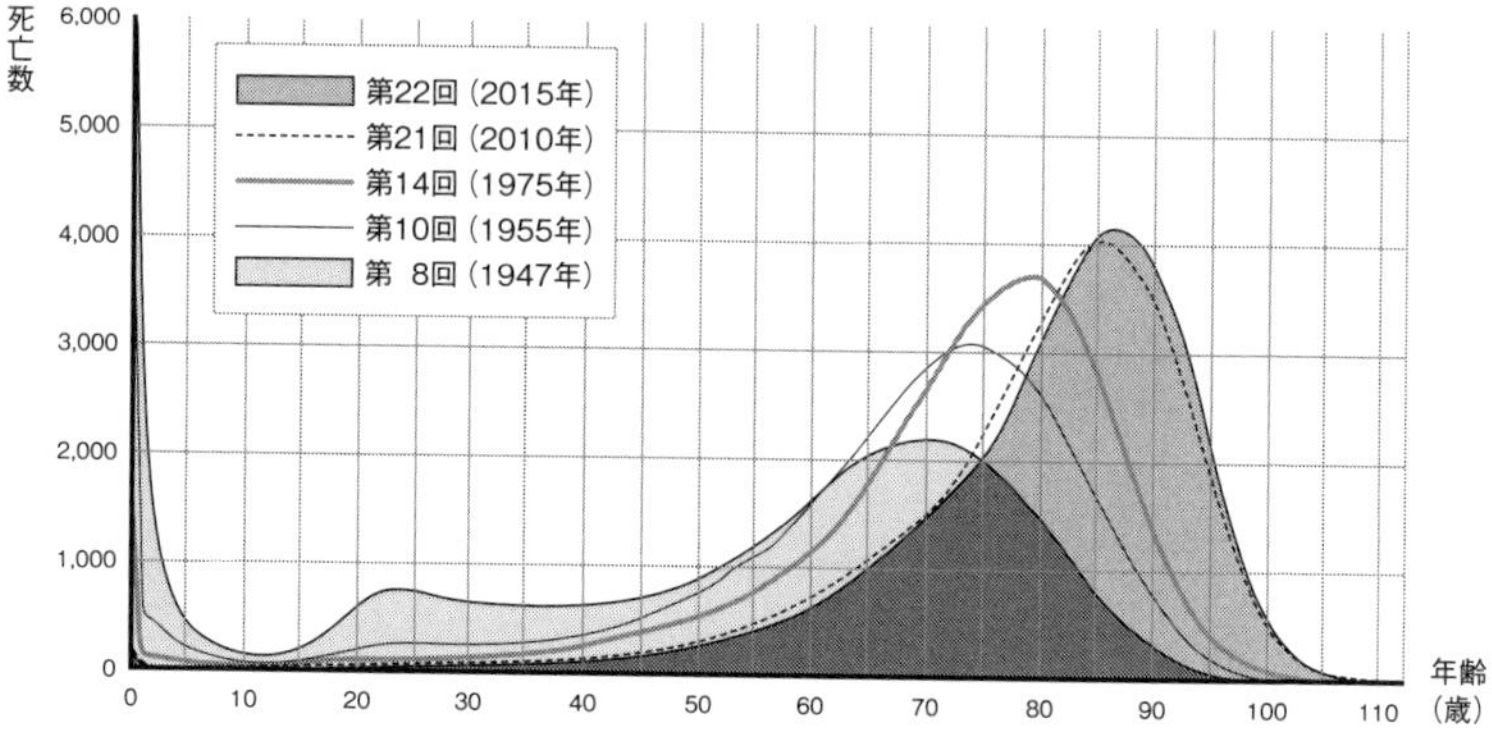

出典：厚生労働省 第22回生命表（完全生命表）の概況（2017年）

図5 死亡率の推移（女性）

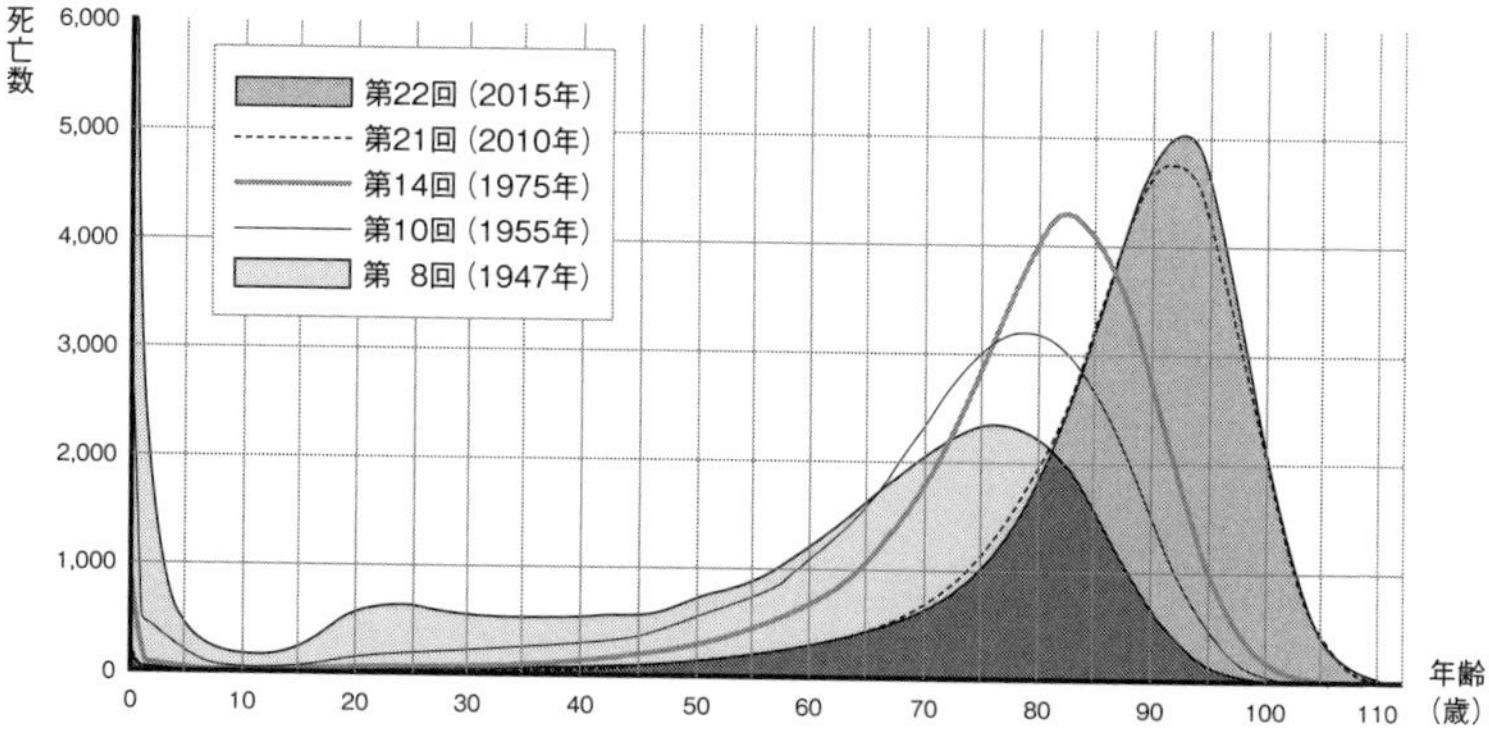

出典：厚生労働省 第22回生命表（完全生命表）の概況（2017年）

きした女性が亡くなるピークは75歳でした。

２０１５年になると、亡くなる人のほとんどが、70歳以上。長生きした女性の場合は、92歳がピークになっています。この大きな山の中に入れば、寿命まで生きたといってもいい年齢ではないかと思います。

極端ないい方に聞こえるかもしれませんが、いまの日本で亡くなる人の多くは、ほぼ老衰。医師は、がんで亡くなった、肺炎で亡くなったなどと死亡診断書に書きますが、亡くなり方のイメージとしては、老衰に近づいた変化があって、それに何らかの病気が加わった「老衰9割＋がん1割」や「老衰8割＋肺炎2割」のような感じです。

これは、亡くなり方としてはかなり理想に近い、幸せな社会なのではないかと思います。

多死社会を不幸にしないために

もう一度、緩和ケアの定義に立ち返ってみます。ＷＨＯの緩和ケアの定義を要約すると、「命に関わる病気で困っていることがあれば、困らないように手助けをすること」すべてが緩和ケアです。

ここでは「末期である」必要もなければ、「死を覚悟している」必要もありません。また、病気の種類もがんに限らないため、命に関わる病気のすべてが対象です（ただし、日本の緩和ケア病棟に入院できるのは「がん、またはエイズ」と決まっています。がん以外の緩和ケアについても考えられてはいますが、国の体制として充実するにはまだ時間がかかるでしょう）。

では、緩和ケアとは具体的に何をしているのでしょうか。

・身体の苦痛症状を軽くする。痛み、息苦しさ、だるさなどをやわらげる（身体的苦痛のケア）
・心の苦痛を軽くする（精神的苦痛のケア）
・社会的な問題に対応する（仕事や生活の問題、医療費や生活費の問題など）
・スピリチュアルな（その人の存在そのものに関わる）問題にも、可能な範囲で対応する
・そのほかの問題も、できるだけ何とかしようと考える

・その上で、できたらうれしいことも加えていく

身体のつらい症状を取り除く医療は、どんどん進歩しています。もちろんそのような治療もしながら、話し合いによって本人の望みを聞き、心の苦痛を軽くすること、そのほかの問題にも対応することが、緩和ケアの大きな役割だと私は考えています。

医学がまだ無力だった昔から、医療の目的は「病人や怪我人の不幸を減らして幸せにすること」でした。現在は医学が進歩して治癒や延命が可能になり、そちらのほうが医療・医学の目標のように思われていますが、その先には「人がより幸せになる」という目標が、以前と変わらずあるはずです。

緩和ケアは、終末期医療に力を注ぎ続けており、看取りに役立つノウハウが蓄積されています。そのノウハウを、「多死社会」に生かさない手はありません。

急速に多死社会が進行する中で、病院ですべての看取りをこなすのは困難になっています。今後はますます病院以外で最期を迎える人が増えてくるでしょう。自宅だったり、介護施設だったり、高齢者が普通に過ごしている場、生活の場での看取りが増えていくことは確実です。

死を「忌み嫌うべきこと」とか「不幸な出来事」と考え、向き合いたくないと思っている人は、まだ多いと思います。しかし、そのような考えを持ち続けていると「多死社会＝不幸な社会」となってしまいます。

１９６０年代までがそうだったように、死を少しずつでも生活の中に取り戻し、よい死、望ましい死、幸せな死を増やすことができると、多死社会が不幸な社会になるのを防ぐことができます。

そのために、「人生の最期を考える話し合い」と「緩和ケア」は、大切な両輪だと考えています。

第2章

すればよかった！
人生をしまうための
話し合い

ケース 1

すればよかった！
人生をしまうための話し合い

家族が知らなかった
エンディングノート

突然倒れたおじいちゃん

長野の田舎町で息子さん一家と暮らす五味靖彦さん（83歳）は、若いころから農業を営んでいました。80歳を過ぎても毎日畑に出て野菜を作っていて、体力と健康にはかなり自信があったようです。

「オレは医者になんか一度もかかったことがない！　だから健康だ！」

というのが口癖で、数日前から風邪を引いていたのに、病院や薬に頼らず治すのだと言い張っていました。毎度のことなので、家族も気にしていませんでした。

その日、いつもは早起きの五味さんがなかなか起きてきません。熱でもあって起きられないのかと心配したお孫さんが寝室に行くと、ベッドに横になったまま「うーん、うーん」と唸っています。

「おじいちゃん、おじいちゃん」

声をかけても反応はなく、意識も朦朧としていました。

「おじいちゃんがおかしい！」

家族にとっても、こんなことは初めてです。あわてて救急車を呼びました。病院に到着すると、診察した救急医がいいました。

「気管に管を入れて人工呼吸をしないと助かりません。もしも具合が悪くなったときにはどうしたいか、ご本人から何か聞いていますか？　話し合いをされたことはありますか？」

突然のことに、家族は戸惑うばかりです。

「昨日まで畑に出て本当に元気だったし、そんな話はしたことがありません。先生、とにかくできるだけのことをしていただけますか」

付き添っていた息子さんはいいました。そこで、救急医は気管に管を入れて人工呼吸を開始し、一時心停止にもなったので心臓マッサージや電気ショックをかけ、強い薬も使ってなんとか命を助けました。

具合が悪くなった原因は肺炎と診断され、抗生物質の点滴や高カロリー輸液をして自力で呼吸もできるようになりましたが、五味さんの意識は戻りませんでした。

3つの選択肢、どうする？

回復の見込みがない状態で、家族は医師から3つの選択肢を示されました。

①胃ろう、または経管栄養にする
②普通の点滴をする
③何もしない

①の胃ろうとは、胃に直接穴を開けて栄養剤を入れること。経管栄養とは、鼻から管を入れて栄養剤を入れることです。どちらも体内に入れるのは水分と糖分を中心としたエネルギー源や微量栄養素で、これによって、場合によっては年単位で生きることが可能になります。

ただ最近は、意識のない人にこうした治療を行って命を延ばすのはよいことなのかどうかという議論が巻き起こっています。

②の普通の点滴は、実は中身のほとんどが水分です。カロリーが少ない分、その人の体にある皮下脂肪や筋肉や内臓にある栄養が生きるための燃料になります。だんだん痩せて体力が少なくなっていくと、その水分も受け止めきれなくなってくるので、点滴の量を徐々に減らして老衰に近い形で看取ることになります。

③の何もしないというのは、日本では選択する人が少ないのですが、イギリスなど

ヨーロッパでは、比較的多くの人が選ぶ考え方です。「口から食事を摂れなくなったときが寿命」と考える人が多いからです。

息子さんの家族は、「積極的に命を延ばす治療はしなくていいけれど、せめて点滴は続けてほしい」と②を希望しました。そして、救急車で運ばれてから3週間後、五味さんは病院で息を引き取りました。

葬儀の数日後。家族が五味さんの部屋を片づけていたら、机の引き出しから本人が書いた「エンディングノート」が見つかりました。人生の終わりを迎えるときのため、自分の思いを綴ったり相続などについて記したりする市販のノートです。

「おじいちゃん、こんなノートを書いていたんだね」

開いてみると、「延命治療は希望しない」「最期を迎えるのは病院より自宅がいい」という欄にチェックがつけてありました。細かい内容が記されていたわけではありませんが、家族はこのノートを見て、とても複雑な気持ちになりました。

「もし、このエンディングノートの存在を知っていたら、人工呼吸などの苦しい治療は選ばなかったかもしれない……」

人工呼吸と合わせて行った心臓マッサージは、高齢者では肋骨が折れる場合もあり、患者にとっては大きな負担です。エンディングノートを見た家族は、もっとおじいちゃんと話をしていればよかったと、後悔が残りました。

人生をしまうための話し合い

エンディングノートの使い方

エンディングノートを書いたなら

「私はエンディングノートに考えていることを書いたよ」

という人は、書いたことで満足してはいけません。家族や医療従事者など信頼する人に、このノートが存在することを知らせておく必要があります。

エンディングノートを書くのは、よいことだと思います。きちんと書くことで、自分の考えが整理できるからです。

しかし、一人で考えて自己完結し、ノートをどこかにしまいこんでいたら、五味さんのように自分の思いを伝えずに最期を迎えることになってしまいます。下手をすると、永遠に発見されないかもしれません。

そうなると、せっかく書いた意味がありません。また、置いてある場所を知らせておいても、いざというとき気が動転した家族が思い出せないかもしれないし、時間が経ってしまって見つけられないかもしれません。

19ページでも述べましたが、いちばんいいのは、エンディングノートを話し合いに役立てることです。エンディングノートに書いたなら、大事な人に見せて会話のきっかけにするのです。細かく書いているなら声に出して読み上げてもいいし、メモ程度なら、それを見せて話を広げていくといいでしょう。

人生をしまうための話し合い

タイミングを逃さないコツ①

3段階に分けて考える

人生の最期を考える話し合いは、いつ開けばいいのでしょうか。

健康で命の不安などないときには、なかなか話し合いをしようという気分にはなりません。高齢になっても、なるべくそういう話を避けたがる人は多くいます。

しかし、たとえば五味さんの家族であれば、「おじいちゃんの死」で小さなわだかまりが残ってしまった分、「自分がそうなったとき、どうしたいか」を考えやすくなっています。こうしたチャンスを逃さずに、家族で話すといいでしょう。

私は3段階くらいに分けて、タイミングを考えておくとよいと思っています。

①まだ元気で力があふれているとき
②病気になったり、年齢を感じたりしたとき
③いよいよ終わりが迫ってきたと思ったとき

元気で力があふれているときは、もしものときのことを考えるなんて、縁起でもないと思うかもしれません。でも、起こる確率は低いのですから、気軽な話し合いでよいと思います。考えるのが難しいなら「自分はどこでどんな最期を迎えたいか」を想

像し、雑談するだけでもいいでしょう。

その後は、年月を重ねるごとに、自ずと話す内容も変わっていきます。そのたびに自分の最期について考え、口にする。回数を重ねていれば、いよいよ迫ってきたと感じたときにも、頭が真っ白にならずに済みます。

80歳を超えたらやるべきこと

話し合いをいますぐ始めてほしいのは、元気な高齢者の方たちです。持病はあっても、命に差し迫った状況ではない高齢者に話を聞いてみると、人生の最期について具体的なイメージを持っている人が意外に少ない。そういう人は、「子どもの世話にはならない」といいながら、いざとなったら子どもに委ねてしまうことがよくあります。

１００歳近くまで長生きする人が増えた最近は、子どものほうが先に亡くなる逆縁現象も増えています。そうなると、超高齢になった自分を看取ってくれる子どもがいない事態になります。

自分の人生の最期について意思を表明しておくことは、現代のマナーになっていくといいと、私は考えています。

そこで、80歳になったら少なくとも次の2点について考え、自分の意思を表明しておきましょう。

・具合が悪くなったときに、どこで過ごしたいか
・積極的な治療を受けたいのか、自然な流れで無理な延命はしたくないのか

この質問は、人生の最期を考える第一歩。どんな年齢の人でも考えておくべき内容です。

80歳以上の人が病気で倒れる確率は、若い人よりも格段に高い。倒れてしまうと、70パーセントの人が自分の意思で判断できなくなるというデータを見ると、高齢者ほど、「その先についての考え」を元気なうちに意思表示することが必要です。

かかりつけ医に聞いてみる

この二つの質問に、答えを出すことは難しいかもしれません。でも、すぐに結論を導き出す必要はないし、気持ちが変化してもいいのです。誰かに話して考え始めるこ

とが、いちばん大事です。

ヨーロッパでは「口から食べられなくなったときを寿命と考える人が多い」と述べましたが、これは参考になる考え方で、合理的な選択の一つです。

15年以上前に私が診た患者さんで、「口からものを食べられなくなったら、点滴も何もしないでください。そのときが生きものとしての終わりの時間。延命はしなくていいです」といった人がいました。

その人は食道が細くて液体しか摂れませんでしたが、不思議なことに味噌汁の上澄みだけを飲んで、見事に半年間生き続けました。この人のような意思表示をしておくのも、一つの方法です。

意思表示がされていないと、ほとんどの人が管につながれることになります。命の終わりが迫っているとき、基本的に医療は全力でその人の命を助けようとします。助かって元通りになるなら問題はありませんが、救急車で運ばれ救命治療を受けた場合には、大きなダメージを負った状態になることもあります。

植物状態になったとき、その治療をすることが果たしてよかったのか、正解を出せる人はいません。そうならないためにも、80歳になったら話し合いをしておくとよいのです。

二つの質問を考えるとき、自分の体調をよくわかってくれているかかりつけ医は、心強い存在です。普段の診療では必要以上の会話をしないかもしれませんが、たまには聞いてみるといいでしょう。

「先生、私は何歳まで生きると思いますか?」

そんなのわからないよ、といわれるかもしれませんが、どんな持病があってどんな薬を飲んでいるのかをわかっている医師なら、寿命はともかく病気のリスクについては教えてくれるでしょう。

高血圧や動脈硬化で血管が弱くなっている人なら、脳や心臓の病気に気をつけること。風邪を引きやすい人は、季節の変わり目に気をつけること。むせることが増えていたら、誤嚥性肺炎《ごえんせい》に気をつけること。そうでない人はがんに注意など、体質の傾向を教えてもらって、備えることも大切です。

ケース2

すればよかった！
人生をしまうための話し合い

がんを受け入れられなかった家族

「そんなこと、信じられません」

原田誠一さん（51歳）が、奥さんと共に私の緩和ケア外来にやって来たのは、4月はじめのことでした。

彼は数年前から同じ病院の中でがん治療を受けていましたが、昨年の10月に主治医から「あと3ヶ月です」と告げられました。3ヶ月後の今年1月に再び「あと3ヶ月」といわれ、そのときが近づいていました。

抗がん剤が効かなくなり、別の治療メニューに切り替えることを3回繰り返してがんばってきましたが、それも効かなくなって、緩和ケア外来に来たのです。

これまでは、主治医と原田さん本人の間だけで情報が共有されていました。奥さんは仕事や実家のことで忙しく、病院に付き添うことはほとんどありません。病状は本人から家族に伝えられていましたが、かなり控えめに語っていたようで、奥さんはそれほど切羽詰まった状態だとは思っていなかったようです。

これ以上治療をしても、体に負担をかけるばかりだという状況を初めて主治医から聞き、彼女は大きなショックを受けたようです。

そしてその足で、緩和ケア外来にやって来ました。

「もう治療ができないといわれても、信じられないんです。そんなこと、あるはずないでしょう」

奥さんは現状にまったく納得ができないという感じの、硬い表情をしていました。昨年10月の段階であと3ヶ月といわれ、その3ヶ月後に、またあと3ヶ月といわれたことは、もちろん知っていました。

しかし、その日初めて聞いたこともたくさんあったのでしょう。かなり混乱しているようでした。

「あと3ヶ月、あと3ヶ月って、また次も『あと3ヶ月』といわれるのでは？」という期待もあったかもしれません。

病院への信頼感を失いかけていたところに、「がん治療はもうしないほうがいい」といわれてしまった。信じられない気持ちになるのも、よくわかります。

原田さん自身は治療の状況を正確に理解していましたが、治したい、なんとかなるはずという気持ちがまだ強く、だからこそ奥さんにも希望的観測を伝えていたのかもしれないとも思いました。

セカンドオピニオンを取る

私は、原田さんご夫婦とはその日が初対面だったので言葉を選んで話しましたが、どんなに時間をかけても頑な態度は変わりませんでした。気持ちの余裕をなくし、いらだっている人を目の前にして、無理なことはいえません。どうしたものかと思っていると、帰り際に奥さんがいいました。

「ほかの病院に、セカンドオピニオンとして話を聞きに行こうと思うのですが」

状況を納得してもらうためには、いくつかの段階が必要です。こういうとき、別の専門家に話を聞くのはよい考えだと思いました。多くの人の説明を聞くことで、ピンときて、納得できる場合もあるからです。

「ぜひ、そうしてください」と勧めると、二人は帰っていきました。

セカンドオピニオンとして対応してくれた医師は、いままでの治療はどういうものだったか、現在どのような状況か、いまできる最善のことは何かを、1時間以上かけて丁寧に説明してくれたそうです。

その後、本人が一人で来院し、セカンドオピニオンの報告をして「家内もわかってくれました」と伝えに来てくれました。私は直接会うことができませんでしたが、この間、さまざまなことを家族で話し合ったのだと思いました。

さらに3日後、仕事に出かけた原田さんは職場で意識が朦朧となり、入院させてほしいといって、そのまま緩和ケア病棟に入院しました。彼と初めて会ったのは4月のはじめでしたが、もう26日。あれから1ヶ月近くが経っています。

安静にしていると体調が落ち着いてきたので、私は彼にいいました。

「仕事のことが気になると思いますが、そろそろできる状態ではなくなります。非常に厳しい話ですが、すべて引き継いでくれる人に申し送りをしないといけない時期に来ています」

すると、原田さんは病院から会社に数日出社し、引き継ぎを終えました。入院したものの奥さんの忙しさは相変わらずで、病院にはなかなか来られません。たまに来たときも、原田さん本人は「大丈夫だよ」と平気な顔をして対応しているのが気になりました。本当は、体力も落ちて、かなりつらいはずです。

この部屋で泣いてもいいですか

「先生、ゴールデンウィークの間は家に帰りたいんです」

原田さんはいいました。

もう残り時間はあまりないと思いましたが、本人の希望で一時退院することにしました。遠方に住んでいる息子さんや娘さんも家に帰ってくるそうです。

家にいるときのほうが落ち着いてご家族と話せるだろうと思い、往診に行ってみると、家族仲が悪いわけではなさそうなのに、奥さんやお子さんは、どこか原田さんと距離を置いた感じです。どことなくよそよそしい空気を感じてしまいました。

勝手な想像ですが、がんという病気を前に、家族は怖くて正面から向き合う気持ちになれないのかもしれないと感じました。私自身、それまでのギクシャクしたやり取りもあって、突っ込んだ話はできないままでした。

何回目かの訪問診療の日、原田さん自身は動くことも大変そうで、自分でも気づかないうちにウトウトと眠りに落ちてしまう状態になっていました。

その翌日、トイレに行ったら動けなくなったため、再入院しました。

再入院の日、私が奥さんに面談室で「もう残りは日の単位です」と説明すると、「今日っていうこともありますよね。この部屋で泣いていっていいですか」とひとしきり涙を流し、気持ちを落ち着けてから部屋を出て行きました。

病状を否定し続けていた彼女の気持ちが、ようやくそこまで追いついたのです。しかし、そのときはもう、ご主人とは会話ができない状態でした。
2日後、原田さんは病院で亡くなりました。ご家族は頭では納得していましたが、病気の進行が非常に早く、気持ちの面で追いつくことができなかったように見えました。亡くなったあとに「この病院で看取ってもらえてよかった」といわれましたが、私自身も状況の変化に対応しきれなかった感じがして、残念な思いが残りました。

人生をしまうための話し合い

タイミングを逃さないコツ②

サプライズ・クエスチョン

原田さんは本人がとてもしっかりしていて、何でも自分の判断で決める人でした。しかし、急性期の治療をしている段階から、正しい情報を家族みんなで共有し、話し合いができていれば、家族の頑なな気持ちを解きほぐす時間があれば、という思いが残ります。

緩和ケアの現場であっても、すべての人に適切なタイミングで適切な話ができるわけではありません。特にがんの場合は、病気の進行が早いことも多いので、タイミングを計るのは難しいものです。

早すぎると具体的なことはなかなか考えられないし、遅すぎても時間や気持ちが切迫してしまって、考える余裕がなくなってしまうからです。

一つの目安として紹介したいのは、神戸大学緩和医療学の木澤義之《きざわよしゆき》先生に教えてもらった「サプライズ・クエスチョン」です。

もしも、1年以内に自分の命がなくなっている、

または、目の前の人の命がなくなっているとしたら、驚きますか？

この問いかけに驚くことなく、「そういうこともあるんじゃないか」と思ったときは、話し合いを始めていいタイミングです。

ほかにも、持病が急に悪くなる心配があるとき、認知症が疑われるようなとき、事

故や災害が怖いと思ったとき、がんになったときなどは、話し合いを始めるチャンスです。

逆に、人生の最期を考える話し合いをしてはいけないタイミングもあります。

それは、気持ちがどん底に落ちているときです。

たとえば、病気を告知された直後で激しく動揺しているとき、自分の人生はもうダメだと思っているとき、命の終わりについて考えるとバランスのよい判断ができず、絶望が深くなってしまいます。

気持ちが安定していて、何事も冷静に考えられるときを選びましょう。

一人暮らしでも、家族がいても

現代は、一人暮らしの高齢者も増えています。家族がいる人もいない人も、最期についての話し合いが必要なのは同様です。一人暮らしであっても、基本的には必ず誰かに看取られることになるからです。

家族と暮らしている人は、家族に看取ってもらうことを前提としているでしょうが、一人暮らしの人は、そういうわけにはいきません。しかし、一人だからこそ自分の最期を現実的な問題として考えている人は、多い気がします。

誰に看取ってほしいのか、誰の助けを借りたいのか、家や財産をどうするのか……。一人暮らしの人は、身近にいて信頼できる友人や医療従事者などに、そのときどうしたいかや、亡くなったあとのことまで話しておく必要があります。

あまりギリギリにならない元気な時期から、話し合い、考えておきましょう。

ここで、改めて人生をしまう話し合いが必要なときを考えてみます。

・気がついたら、十分に年を取っていたとき
・持病が悪くなって心配になったとき
・認知症ぎみだと思ったとき
・事故や災害や急病など、急死が怖いと思ったとき
・がんになったとき

高齢の人は、思い当たることがある人も多いでしょう。いまの自分には関係ないと思っても、事故や災害や急病まで含めると、話し合いに関係ない人はいなくなります。

若い人が死に直面することは、実際はとても少ないものですが、「まだ必要ない」「自分には関係ない」と思わずに、いつでも親しい人と会話ができるようにしておくことが大事です。

ケース3

すればよかった！
人生をしまうための話し合い

もう家では看たくないという家族の叫び

老老介護で疲労困憊

この話はもう20年以上前、介護保険の制度もなかったころのことです。

山口敏則さん（80歳）は心不全で一度倒れたあと、治療をして回復。自宅で療養を続けていました。子どもたちはみな遠方に住んでいて夫婦二人暮らしなので、奥さんが一人で山口さんを看ています。体が思うように動かないことに加え、最近は軽い認知症も加わって、診察のときは穏やかですが、普段は怒りっぽくなっているという話も聞きました。

往診しながら、私がうっすら感じていたのは、夫婦の仲があまりよくないんじゃないかということ。山口さんの家はとても立派なのですが、二人の間にはいつも少し大きな距離があるのです。

山口さんの家から見える景色が素晴らしかったので、それを見たいという、まだ幼かった私の子どもを連れて、休日の往診に出かけたことも何回かありました。

子どもがいるとなごやかになり、目線が子どもに向かうものです。しかし、そのときも山口さん夫婦は子どもにはそれぞれ優しく声をかけてくれるものの、お互いの会話にはつながっていかない、微妙な空気が気になりました。

とはいえ、訪問している看護師によると、食事を食べやすく工夫したり、気分転換の散歩や買い物にも一緒に外出したりと、奥さんは山口さんの介護をよくやっているようです。微妙な空気と感じたのは、勘ぐりすぎかなと思いました。

そんなとき、また山口さんが軽い心不全を起こして入院しました。奥さんも少し疲れてきたように見えたので、介護する人に休んでもらう「レスパイト・ケア」の入院としてもよいタイミングだと思いました。治療を始めたところ、幸い今回も重症にならずに回復してきました。

病室では、家にいたときより本人も奥さんも表情がやわらかいように感じました。病棟の看護師も「いいご夫婦ですね」といっていたので、同じような印象を持ったのだと思います。

ところが数日後、退院が近いという見通しを奥さんに話すと、奥さんは廊下に出てきて次のように返事をされました。

「先生、もう主人を家で看る気はありません」

どういうことかと話を聞いてみると、山口さんは怒らなくていいようなことで怒ったり、奥さんのところまでは飛んでこないけれどタオルなどを投げつける動作をしたり、やることなすことすべてに神経を逆撫でされるといいます。あの生活に戻ることを考えると、とても気が滅入る。戻りたくないということでした。

夫婦の関係は、夫婦ごとに本当にさまざまです。私にいえないような問題が、ほかにもあったかもしれません。奥さんも、山口さんと同じ年齢で高齢です。あまりうまくいっていなかったところに、怒りっぽくなる山口さんの症状が加わって、疲れ果てていたのかもしれません。

そうはいっても、本人は家に帰るつもりでいます。二人の気持ちはすれ違ったまま、何とかなだめるような格好で、とにかく退院することになりました。

当時は公的な訪問介護サービスがなかったので、退院後は訪問看護をそれまで以上に充実させて、支えていこうと考えました。近いうちにきちんと話し合いをして、今後どうするかを詰めていこうと思っていた矢先、山口さんは再び発作を起こし、自宅で亡くなってしまいました。

老老介護の大変さ

山口さんの場合は高齢夫婦の老老介護ですが、介護保険制度が始まる前だったこともあり、奥さんが介護のほとんどを担って、精神的にも身体的にも追い詰められる結果になってしまいました。

老老介護は増えている

現在は、当時に比べても老老介護は増えていますが、それに対応する介護体制も整ってきているので、家の中で抱え込まずに、地域の包括支援センターなどに相談するといいでしょう。

高齢になると、若いころとは違って、いろいろなところに不具合が出てきます。性格的にも、融通がきかなくなってくる人も少なくありません。

大正や昭和のはじめに生まれた男性は、一家の主は威張っているものと信じて生き続けてきた人もいて、それをやわらかい生き方にいまさら変えるのは無理なんだろう、と思うこともあります。

山口さんの場合、奥さんが介護をしないと生活がまったく成り立たない状態でありながら、一言の「ありがとう」もいわずに命令と文句ばかりいっていると、奥さんはこぼしていました。

「女房に頭なんか下げられるか」

「ありがとうなんて、恥ずかしくていえない」

なんて思っていると、命が終わり近くなってきたときに、思わぬしっぺ返しを食うことになりかねません。

習慣と性格は一朝一夕には変えられないものですが、老老介護になったときに冷たい関係の二人暮らしになる可能性があると思った方は、いまが改めるチャンスです。思い切って「ありがとう」をいうところから始めてみましょう。

100歳前後になった親を、70代の子どもが介護するような老老介護も増えています。さまざまなパターンの老老介護が、今後もますます増え続けることでしょう。

現在は介護保険制度が充実してきたので、自宅で過ごす場合でも、介護や生活を支援してくれるサービスがいろいろあります。また、自宅での生活にこだわらずに夫婦で有料老人ホームなどに入居して、「ここは至れり尽くせりだ」と生活を楽しんでいる方もいます。

「家族に囲まれて畳の上で死にたい」という希望が圧倒的に多かった時代もありますが、少子高齢化、核家族化が進んでいるいまの日本では、介護の担い手を家族だけに頼っていては、早晩家族が音を上げることになります。必要に応じて、さまざまな医療・介護サービスを上手に組み合わせて利用したほうが賢明です。

コラム①　ケアマネジャーの役割

「情報をわかりやすく伝えてサービスを提供します」

医療法人愛和会　居宅介護支援事業所
介護支援専門員　新井三子さん

希望に沿う形で環境を整える

ケアマネジャーの仕事は、利用者本人や家族の意向をうかがって、情報をわかりやすくお伝えし、生活全般を支えることです。

たとえば、介護保険のサービスであれば、ヘルパーの派遣やデイサービス、介護用ベッドの利用、訪問入浴など、その人に必要と思われるものについて「こんなサービスがありますよ」とお知らせし、選んでいただきます。

サービスには全国共通のものもあるし、自治体独自のものもあります。市町村によってサービスはさまざまなので、たくさんの情報の中から選んでいただけるようにしています。

大事な話し合いにはできるだけ出席し、本人や家族の希望に沿う形で、居宅の環境を整えていくのがケアマネの役目。

私自身この仕事をしながら、本人を中心とした話し合いは、とても大事だと感じてきました。話し合いをしたからこそ、よい最期が迎えられた、ということが何度もあるからです。


中でも印象深いのは、がんで愛和病院に転院してこられたある女性です。

本人にも家族にも「家に帰りたい」という願いがありました。できるだけ早く帰りたいという思いを汲んで、私たちも早急に動き、数日間のうちに自宅で暮らすための環境を整えました。

まずは病院のスタッフから、いまどんな状況なのか情報をもらい、本人や家族と話し合いをして、ベッドやトイレの準備、玄関にスロープをつけるなど、病院と同じような環境作りの手配をしました。

退院後は、医師や看護師の訪問にも同行しました。ケースによって訪問する回数は違いますが、この方の場合は状況が変わるたびに週に一度くらい訪問し、看護師や介護用品の会社の人との話し合いの場を設け、本人や家族が感じていることや気づいたこと、希望されることなどの情報を共有していきました。

お風呂に入りたいという希望も、最初はデイサービスに行くか、自宅のお風呂にするかと考えていましたが、デイサービスに行く体力はなくなったため、自宅のベッド横での入浴サービスを提供しました。

普段は夫婦二人暮らしで、ちょうど娘が里帰り出産。家には生まれたばかりの赤ちゃんがいたので、車椅子に座って孫と遊ぶ光景も見られました。そういうエネルギーも得て、元気になられたのだと思います。

退院時は、もしかしたら週単位かもしれないといわれていましたが、春にはお花見に行くこともでき、家族のがんばりもあって、2ヶ月間自宅で過ごしたあと、5月に自宅で亡くなりました。

ヘルパーや訪問看護師と連携しながら

この仕事で大切にしているのは、相手の話をよく聞くことです。情報を持っているからといってこちらの意見を押しつけるのではなく、本人と家族の話にできるだけ耳を傾けます。

ケアに関することだけではなく、生活全般の話をうかがいたいので、世間話をするだけの日もあります。でも、そこにたくさんのヒントがある。できるだけ時間にしばられないように、じっくり話を聞きたいと思っています。

とはいえ、ケアマネジャーは実際には調整することしかできません。

日々の状態をいちばん知っているのは、毎日のように通っているヘルパーや入浴サービスの人、訪問看護師です。その人たちは、私が見えない部分をよく見ているし、生活面での細かな情報を持っています。

ですから、チームのメンバーの話もよく聞き、密に連絡を取り合うことが、何より大切だと思っています。

こういう仕事をしているので、自分の人生の最期についても常に考えています。私は父が病気で他界しているので、母の意向も聞き続けていますし、自分自身のことについては、夫や子どもに伝えています。

がんが多い家系なのですが、いつも話しているのは、延命治療をしたくないということ。どこで過ごすかは、そのときの家族の状況、子どもの年齢、自分の状況もあるので、直面したときに考えようと思っています。

若いお母さんの看取りに関わったこともあります。子どものお弁当を作りたい、受験のときにそばにいてあげたい、短期間だけでもいいからと自宅に帰られ、その願いを叶えられました。同じ母親としてはつらい気持ちでしたが、できる限りのお手伝いをしたいと思い、関わらせていただきました。

ケアマネジャーは、介護を受ける人たちの相談窓口。みなさんの話に耳を傾け、情報をわかりやすくお伝えし、穏やかに悔いのない日々を送るためのお手伝いをしていきたいと思っています。

第3章

してよかった！
人生をしまうための
話し合い

ケース4

してよかった！
人生をしまうための話し合い

一人暮らしでも
自宅で死ねますか

秋まで生きるのは無理？

「先生、私、自宅で死にたいんです」

緩和ケア外来で初めて診察した1月、金田照子さん（76歳）は私にいいました。

「わかりました。できるだけ願いを叶えられるようにしますね」

彼女は一人暮らしでしたが、最期まで家で過ごしたいという希望を強く持っていました。思えばこれが、金田さんとの最初の話し合いでした。

その1年ほど前、金田さんは盲腸がんの多発転移と診断されて化学療法をスタートしています。最初は抗がん剤がよく効いていましたが、秋には効かなくなり、別の化学療法に切り替えました。

ところが、予想以上に副作用が強かったためにそれ以上の治療はやめることにして、緩和ケアの外来へ紹介されてきたのです。そのときから、私は毎週彼女の自宅を訪問診療することにしました。ケアマネジャーや訪問看護師も訪問し、自宅で療養するために必要な環境を整えました。

金田さんは小柄なおばあちゃんで、意思のはっきりした人でした。小児まひで子どものころから足が少し不自由ですが、普段から松葉杖などを使ってどこにでも移動していく身軽さがあります。日常生活にも、困るところはほとんどありませんでした。症状がひどくなったり痛みが出たりするたびに薬で対応し、春までは割と元気に過ごすことができました。

4月、検査をしてみると、がんの腫瘍マーカーがずいぶん上がっています。彼女に何と伝えようか躊躇していると、先に金田さんから質問されました。

「秋まで生きるのは無理？」

金田さんの質問は、いつもど真ん中の直球。こちらもごまかすことはできないので、直球で返します。

「はい、秋までは難しいと思います」

「そうかあ、秋かあ～」

彼女は窓の向こうの景色を見つめながらつぶやきました。秋までは難しいといったつもりですが、秋までは大丈夫と受け止められたかなと思いました。しかし、もしかしたらわかっていっているかもしれないので、必要があったら修正しようと思っていました。結果的には、修正する必要はありませんでしたが……。

ピンピンコロリは叶わない

病状が進むと歩くことが困難になり、家の中でも車椅子が必要になりました。私は内心、車椅子になったら自宅での生活は無理かもしれないと思っていましたが、そんな不安を吹き飛ばすように、彼女は自在に車椅子を操っています。

ケアマネジャーの対応で、家には車椅子でも移動しやすいようスロープをつけ、いつもと変わらぬ生活が続けられました。そして、金田さんは長年生活してきた自宅で、人生をしまう用意を着々と進めていきました。

5月、いつものように自宅にうかがうと、金田さんがいいました。

「先生、私、ある日ピンピンコロリと死ぬのを期待しているんです」

問題なく暮らせているいまの状態のまま、突然意識を失うように死にたいということのようです。私は次のようにいいました。

「残念だけど、ピンピンコロリって、統計によると1パーセントもないんですよ。みんなピンピンコロリに憧れるけれど、望めばそうなれるってもんじゃないんですよね」

すると、彼女はいいました。

「死ぬ準備はもうできているんです。だけど、やっぱりいやだなあ。痛かったり苦しかったりするんじゃないかと思うと、怖くって」

どんなときも気丈に見える金田さんがピンピンコロリを望んだ理由は、この先にあるだろう痛みや苦しみへの不安からでした。

「それを最小限にするのは、緩和ケアの得意技ですよ。大丈夫、楽に過ごせるようにするから私に任せてくださいね」

そういうと、ようやく安心した表情になりました。

揺れる思いを受け止めながら

秋がやってきました。

秋までは難しいという私の予想に反して、まだ一人暮らしを続けています。そうはいっても、金田さんの体力はだんだん落ちています。

10月半ば、私の診療日に合わせて訪問看護師も一緒に行き、軽い話し合いをすることにしました。

「金田さん、これからどうしたい？　痛みが出たときはどうしようか」

「うーん……」

彼女は「ずっと家にいたい」といったり「やっぱり、一歩も歩けなくなったら入院したい」といったり、話している間にも、いうことがころころ変わります。しかし私は、どちらも彼女の本音なのだと感じました。

最初から一貫して、家にいたいという気持ちは強くあります。一方で、人に迷惑をかけないようにしたいという思いもある。どちらの気持ちを優先するかによって、いうことが変わるのです。私たちは彼女の言葉を記録し、本人の思いを汲みつつ話を聞きました。

翌週は、私のほかに訪問看護師、ケアマネジャー、ヘルパー、リハビリ・福祉用具の担当者が金田さんの自宅に集まり、本人を囲んで会議を開きました。これからどうやって支えていくかという、具体的な話し合いです。

たくさんの人が集まると、本人はいいたいことがいいにくくなるものですが、そこは毎日のように会っている看護師やヘルパーが細やかにフォローして、希望はいってもらえたと思います。訪問看護は24時間対応しているし、痛みが出て不安なときはいつでも連絡して入院できることを本人にも伝えました。

11月はじめ、背中に強い痛みが出て、本人の希望で緩和ケア病棟に入院することになりました。動くと特に痛みが強かったので、家にいるよりも入院のほうが本人も安心です。

CTを撮ってみると、その痛みは背骨への転移からきていました。この症状には放射線治療がよく効くことがわかっています。日帰りで別の病院に行き、放射線照射をすることで状況は改善していきました。金田さんはいいました。

「だいぶよくなったので、また家に帰りたいなあ。体力が落ちているから、ちょっと不安だけど」

「とりあえず帰ってみたら？　うまくいかなかったら、また入院すればいいですよ」

「戻ってきてもいいなら安心だね」

彼女は退院を決めました。11月22日のことです。

自宅での生活は何とか再スタートしましたが、12月に入ると体力はさらに低下し、ほとんど動けず食事も摂れなくなってきました。訪問看護師が毎日通っていましたが、薬を飲むのも大変になったので、痛み止めは飲み薬から貼り薬に変更しました。

12月4日に診療に行ったとき、私は金田さんにいいました。

「残っている時間は、おそらく1週間くらいですよ」

以前は「寝返りを打てなくなったら入院したい」と語っていましたが、この日は「やっぱり家で最期まで過ごしたい」といったので、自宅での最終的な看取り計画を立てることにしました。

彼女は一人暮らしですが、隣町に3人の兄や妹がいます。いままでたびたび見舞いに来ていた彼らが、24時間体制のローテーション計画を立てて、切れ目なく付き添ってくれることになりました。

これまでの話し合いで金田さん自身が話したことや、自宅で最期を過ごしたいという思いを、兄や妹、ケアマネジャー、ヘルパーにも、ことあるごとに説明して共有しました。

本人が望んでいたことだから

12月10日、私が診療に行くと金田さんはベッドの上でいいました。

「先生、最期は楽に過ごせるといっていたでしょ。いま、楽じゃないよう」

身の置き所がないような感じで、体がつらいのでしょう。声も、弱々しくなっています。

「入院すればもう少し楽になるかもしれないけど、どうする?」

「もう、先生が決めて……」

いままでは、すべて金田さんの意思で、自分の居場所と行動を決めてきました。この期に及んで私に下駄を預けるのか、と思いましたが、それだけ信頼してくれているのだと受け止めることにしました。私は、彼女の表情や体調を見ながら考えました。

体力は、生きていくのにもうぎりぎり。でも、頭の力はまだ残っている状態です。頭のほうから「これくらいの体力があるはず」と体に指令が出ても、体の力が減っていて頭の期待に応えることができない、そんな感じのつらさではないかと思いました。

金田さんが「つらい」「楽じゃない」というのは、頭と体のズレが大きくなり、身の置き所がなくなっているからだと考えたのです。

「体の力は上げられないので、頭の力を下げて楽に過ごせるようにしますね。明日になってもつらかったら、入院しましょう」

ウトウトできる薬を使うことにし、入院するかどうかの結論は先延ばしにしました。

その晩はあまり眠れなかったようですが、翌日の昼間に行ってみるともう少しで眠れそうになっていて、11日の夜はぐっすり眠れたようです。

12日に訪ねると、ウトウトするというよりも意識が朦朧として昏睡一歩手前になっていました。

「姉がワガママをいわないのは寂しいけれど、これは本人が望んでいたことだから」

付き添っていた妹さんは、金田さんがいいたいことをいえる、数少ない相手です。そばにいて、大変な思いもされたのでしょう。お姉さんが眠っている様子を見守りながらいっていたのが、印象的です。

13日の夜、金田さんは自宅で静かに旅立っていきました。

別れは寂しいことですが、3人の兄妹は本人の希望に沿いながらできるだけのことをやった、というすがすがしい表情でした。最期は痛みで苦しむこともなく、金田さんの望み通り、自分の家で過ごすことができたのです。

登場人物

主役は本人

金田さんはがんの患者だったので、緩和ケア医である私が最初の話し合いの相手でした。そこに訪問看護師やケアマネジャーも加わり、最後は兄妹にも参加してもらって、看取りのときを迎えました。

金田さんの場合、話し合いで本音を聞き出すことは医療チームの役目でしたが、家族と一緒に暮らす人であれば、もちろん家族だけで話し合ってもかまいません。一緒に暮らしていれば、折にふれてどうしたいかを聞き出すこともできるでしょう。

彼女は「最期まで自宅で過ごしたい」という強い希望があったので、関わる人はさまざまな方向から、それをどう支えるかを考えました。ことあるごとに話し合ってきたからこそ、一人暮らしでの看取りが可能になりました。

話し合いを誰とするかは、患者本人の生活環境によってさまざまです。たとえば、高齢の夫婦二人で住んでいるなら、まずは夫や妻など配偶者との話し合いを。子どもがいれば子どもと共に、若い人なら親に加わってもらって話し合いを始めるといいでしょう。家族がいない人であれば、心を許した友人も大事な登場人物となります。

また、金田さんのように命に関わる病気を抱える人は、治療医や緩和ケア医、看護師など、医療従事者を巻き込むことが判断を誤らないために重要です。

病気の経過は、医師の予想より早く進むことも、遅く進むこともあります。また、予想していなかった症状が現れるケースもあります。

予想通りでなかったとしても、病気の一般的な経過について多くを知っているのは医師です。話し合いに医師を巻き込むことをためらっていると、いろいろな意味で損をすることになります。

この先どう過ごしたいかを医療チームと一緒に話し合っていくことは、残りの時間を大切に使うためにも有効だと思います。

改めて、人生をしまう話し合いの登場人物を考えてみます。

・配偶者、子ども、兄弟、親、孫などの家族
・治療医、緩和ケア医、看護師などの医療従事者
・ケアマネジャー、介護福祉士などの介護従事者
・信頼できる友人や知人
・福祉用具、介護用品の担当者

内容次第で、関わるメンバーも変わっていくでしょう。ただし、話し合いの席に絶対に欠けてはならない人物がいます。

それは、本人です。本人が必ずそこに存在しなければなりません。

この話し合いは、本人の意思を尊重するために行うものです。本人がいない話し合いは、成立しません。

人生をしまうための話し合い

何度でも話す、記録する

記録を残すことが大切

金田さんの場合は、状況が変わるたびにチームで話し合いが行われました。内容によってもメンバーは変わるので、必ず記録をして共有できるようにしていました。話し合いをしますよ、と改めていわなくても、毎日会っている訪問看護師やヘルパーには、ふと本音が出ることがあります。そういう言葉も記録しながら、チームの中で共有しました。

家族だけで話をする場合も、ただ話すだけではなく、記録をしておくことが大切です。何も残していないとそのときの気分だけが印象に残り、記憶が曖昧になることも多いからです。

人生をしまうための話し合いの記録用ノートを1冊作っておき、参加した人や発した言葉を記録するのがいいかと思いますが、ほかにもいろいろな記録方法が考えられます。

話し合いは一度だけで終わらせず、回数を重ねることも大切です。命の問題にふれるとき、人の心は揺れやすいものです。いうことが変わるのも当たり前。揺れている言葉もすべて記録に残しておきましょう。

いざというとき本人と会話ができなくなっても、その記録を頼りに、どうしていくか考えることができます。

ケース5

してよかった！
人生をしまうための話し合い

家族に同じ苦労を味わわせないために

財産分与の話し合い

山中義朗さん（83歳）は末期のがんで、緩和ケア病棟に入院してきました。診断されたときには、がんはすでに手遅れの状態まで進んでいました。抗がん剤治療をする選択肢も示されましたが、もう十分生きたからと、治療を希望されなかったのです。

体力の衰えはありますが、頭はとてもしっかりしていて、自分の病状についてもよく理解されています。「ここで最期を迎えたい」と、自分の意思で緩和ケア病棟に入院してきました。入院当初は痛みがありましたが、薬を工夫してすぐに痛みは取れ、病室で穏やかに過ごしていました。

私は、山中さんに残されている時間はかなり短いのではないかと感じていました。穏やかに過ごせることで満足してしまうと、何かしておきたいことがあった場合、できないまま人生が終わってしまいます。そのことが少し心配でした。

ある日、診察をしながら命の残り時間について、次のようにお話ししました。

「いまの山中さんの体力は、生きていくのに最低限必要なレベルにかなり近づいています。いまの状態だと、山中さんより底力の少ない人であれば、すでに命が続いていない人も多いくらいの状態だと思っています。いいにくいことですが、残っている時間はかなり短い可能性が高いです」

「そうですか。やっぱりそう思いますか」

私の話を受け止めた彼は、少し考え込むように話し始めました。

「私の父は30年ほど前に他界したのですが、財産の処理を私がやらずにずっと放っておいたんですよ。5年ほど前にようやく手をつけたら、必要な資料がいろいろとなくなっていて、えらく大変だった。だから、子どもたちには同じ苦労を味わわせたくないんです。そろそろ家族に話しておかないといけませんね」

私は医者なので、患者さんの財産をどうするかという相談には乗れません。でも、これまでたくさんの人とつきあってきた経験から、その人に必要な話し合いのタイミングを助言する能力は備わってきたように思います。「いまがタイミングだ」と思ったとき、手遅れにならないようにきっかけを作るのは、私の役目です。

「大事な話し合いは、早めにやったほうがいいですよ」

私がいうと、山中さんは何度もうなずいていました。

病状が進んで状況がシビアな人ほどタイミングは難しいのですが、山中さんは冷静な上に自分の命が残り少ないことを十分に理解していたので、その後の動きはスピーディーでした。私と話をしたあとすぐに、家族が集まる日を決めたのです。

「○月△日の□時に、病室に集まれ」

その日の病室には、ひ孫も含めた大勢の家族や親族が集まり、自分が死んだあとに財産をどのように分けるのか、一つ一つ話し合ったようです。大きくもめることもなく、すべての人が納得して無事に終わりました。

その夜、山中さんはいいました。

「先生、おかげでスッキリしました。大した財産があるわけじゃないけれど、家族にちゃんと話ができて、円満に決まって本当によかった」

翌日は秋晴れのポカポカ陽気でした。2階の病棟の窓から下をのぞくと、紅葉に彩られた中庭を、車椅子に乗った山中さんが家族と散歩しています。彼はすぐに私に気づき、にこやかに手を振ってくれました。車椅子を押している家族も穏やかな表情です。みんなが肩の荷を下ろしたような、軽やかな空気が感じられました。

驚いたことにその夜、山中さんの病状は急変。私が想像していた以上に早かったのですが、本人が望んでいたように苦しむことなく、大勢の家族に囲まれて静かに息を引き取りました。

話し合いの翌日だったので、家族のみなさんはとても驚いていました。何よりこのタイミングで親族会議を招集した山中さんの見識に驚き、人として尊敬の念を深めたように見えました。

もし家族と話し合う時間が1日でも遅かったら、間に合わないところでした。このような出来事を「肩の荷を下ろしたことでホッとして、死期を早めたのでは」と思う人もいるかもしれません。しかし長いこと医者をやっていると、「これは運命と考えるべきなのでは」ということに、たくさん出会います。

山中さんがこうした最期を迎えたことは運命だったし、山中さんの人生に必要なことを納める手伝いができたことは、私の運命だったのでしょう。

彼は高齢ということもあって、自分の命の終わりを納得して受け入れていました。そういう人は、周囲への配慮にも気が回ります。どんなによい最期を迎えたとしても、その後に財産の処理で親族が困ったり、まして遺産相続でもめたりしては台無しになってしまうことを、山中さんはよくわかっていました。

家族が困らないようにと開いた財産分与の話し合いは、山中さんから家族への最後の大きな贈り物でした。

話し合うべき内容は？

縁起でもない話をしよう

人生の最期を考える話し合いの内容は、人によってさまざまです。

まずは、自分の命に関すること。具合が悪くなったとき、家で過ごしたいのか、病院や施設に入りたいのか。命の終わりをどんなふうに迎えたいのか。命に関わる病気を持っている人や、介護を受けている高齢者であれば、医師や看護師なども加わって具体的に話しておくとよいでしょう。

そのほか、家のこと、財産のこと、お墓のこと。今後の仕事や家族のこと。残りの時間にやってみたいこと。伝えておきたいこと、等々。

山中さんの場合、最期の場所はこの病院と決め、穏やかに時間を過ごしていました。しかし、家族と財産分与の話が十分にできていなかったので、私が背中を押しました。

病気を持つ人の場合、何も病気を持たない人よりもきっかけがある分、話し合いを切り出しやすくなります。それでも山中さんがぎりぎりのタイミングになったのは、いくつか理由が考えられます。

一つには、病気がわかってからの時間が短かったので、そこまで気が回らなかったこと。もう一つは、痛みがあったので考える余裕が持てなかったこと。さらには、縁起でもない話をすることには抵抗があったなど、いろいろな理由があったのではないかと想像しています。

病気の人や高齢の人と話していると、「もしものときのことを話しておいたほうがいいと思っても、考えると気が滅入る」という人が結構います。そういう人には「気が滅入る内容はあと回しでいいから、いま、考えられることから話せばいい」と伝えています。

最初は話しやすい人を相手に、準備的な話し合いを始めてみる。雑談でもいいので話してみると、その先の深刻な話題について話す下地ができていきます。誰も話す相手がいないと思う人は、元気なうちに話す相手を見つける努力をしておきましょう。

日本人は基本的な姿勢として長年、死を遠ざけようとし続けてきました。そのため、死についてはできれば考えるのを避けたい」とか「もしものことなんて縁起でもない」と考える人も多いのです。

この本を読んでいるあなたは違うと思いますが、話を向けるだけで「オレが早く死ねばいいのか！」と怒り出してしまう人が、ときどきいます。あなたのご家族や周囲にも、いるかもしれません。

そこには、「死は忌み嫌うもの」という日本人の死生観が根強く影響しているように思います。しかし、死は必ず誰のもとにも平等に訪れます。

戦後長く続いてきた「少死社会」ではその姿勢でもたいして困りませんでしたが、これから団塊の世代が平均寿命を迎える時期になれば、日本は「多死社会」になります。いつまでも目を背けていると、残念で不本意な結果がたくさん生まれてしまいそうです。

ここまで生きてきた自分の人生を納得して終わらせるためにも、残される人の幸せを少しでも増やすためにも、目を背けず人に任せず、もう少し「死を日常に取り戻す」努力をし、考えることをしてほしいのです。

「もしバナゲーム」をきっかけに

それでもやっぱり「死についての話は難しい」という人にお勧めしたいのは、「もしバナゲーム」です。これは、緩和ケアや在宅医療に取り組む医師のグループが作った「もしものときのための話し合いをしよう」というカードゲームで、ネット通販でも手に入りやすくなっています。

1枚1枚のカードには、「信頼できる主治医がいる」「家族と一緒に過ごす」「意識がはっきりしている」など、もしものときの状況や願いを示す言葉が書いてあります。複数のメンバーでプレイしながら、その中から自分が大事にしたいと思うカードを選び、選んだ理由を話し合っていきます。

ゲームという形なら誰でも参加できるし、話のきっかけを作りやすいでしょう。会話が盛り上がってくると、自分でも思いがけない本音が出るかもしれません。「縁起でもない話」を意識的に日ごろから考え口にしていたほうが、いざというとき平静な気持ちでいられると私は思っています。

誰がいい出して、始めるか

話し合いは、誰がいい出して始めてもよいものです。

・親が高齢になり「いつ倒れても不思議ではないな」と思ったとき、子どものほうから話を切り出してみる
・自分自身が「思い通りの人生の終わりを迎えられるのか」と不安になったとき、自分から家族や医師に話をしてみる
・深刻な病気の診断を受けたとき、残りの人生を考えるために、本人や医療従事者が話を切り出す

このように、さまざまなパターンが考えられます。自分や家族の命の終わりが見えてきたとき、必要だと思った人が声をかけて始めればいい。そのあとは、本人と周囲

の人が一緒に話し合っていくことです。

いい出しっぺは誰でもいいのですが、話の中心になるのは、あくまでも本人です。ただし、本人が重い病気の場合は、診断されたばかりのときや、治療を始めたばかりの時期は、避けたほうがいいでしょう。気持ちや体調が揺れていることも多いからです。

不安定な時期や落ち込んでいる時期に重大な決断をするのは、間違いのもと。診断を受けて治療までの時間があるときや、治療が始まって心身ともに安定してきたときが、切り出すのには適しています。

ケース6

家族みんなで旅行に行きたい

人生をしまうための話し合いしてよかった！

やりたいことは、いまのうちに

小林博さん（66歳）は、数年前からがんの治療を受けてきました。しかし、病気が進み、さまざまな治療が効かなくなり、それでも治療してくれるところはないかと探し続け、４つ目の病院で「治せる治療はありません。緩和ケアに相談してみるといいと思います」とアドバイスを受けて、私の外来にやってきたのです。

「いままでかかった病院で『これ以上の治療はできません』といわれたので、覚悟はできているんです」

小林さんは淡々といいました。覚悟はしているものの、いまは肝臓に痛みがあってつらく、今後どうしたらよいかという不安も持っていました。

私は血液検査をしたあと、次のように話しました。

「痛みは取ることができます。そのほかのさまざまな症状にも、できるだけ対応します。ただ、これからは急速に年を取るような変化が現れます。具合が悪くなったらそこからの進行は速いので、やりたいことは動けるいまのうちにやってください」

そして、痛み止めを処方しました。

小林さんは、お子さんたちがみな独立して、奥さんと二人で暮らしており、できるだけ家で最期まで過ごしたいという希望を持っていました。

「明日、痛み止めが効いているかどうかの確認も兼ねて、往診しましょう」

診たところだいぶ疲れている様子だったので、2日連続で病院に来てもらうのは大変だろうと思いました。また、これから家で診ていくなら初回の往診は早いほうがいいと判断しました。

小林さんは、いままであちらこちらの病院に通って苦労してきたのでしょう。ここにきて往診の話がとんとん拍子に決まったことに驚いていましたが、「明日はよろしくお願いします」といって、帰って行きました。

翌日、自宅にうかがってみると、昨日とはまるで表情が違います。

「薬が効いて、ウソみたいに楽になりました」

穏やかな表情になり、笑顔も出ていました。痛みがあるとそのことで頭がいっぱいになりますが、痛みが消えれば自分のことや家族のことに思考が巡ります。

最期まで家で暮らしたいという気持ちを改めて確認し、訪問看護の態勢も整えることにしました。

「これから、何かやりたいことはありますか？」

私が聞いてみると、小林さんは答えました。

「家族みんなで旅行に行きたいんです」

前日に私が、「やりたいことは、いまのうちに」といったので、ひと晩考えていたそうです。

「先生にいわれなければ、旅行に行こうなんて思いつきませんでしたよ」

そういって、照れ笑いしています。残された時間は、あまり多くはありません。声をかけた以上、私も彼の願いを何とか叶えたいと思いました。

一家5人最後の旅

小林さん夫婦には3人の娘さんがいて、別々に暮らしていました。それぞれが仕事や家庭を持っているため、家族全員の都合がつくのは3週間後。正直いって、それまで元気でいられるかは微妙です。

そこで、旅行前にもう一度血液検査をして初診時のデータと比較し、「これなら大丈夫」という感触を得てから、それを伝えました。小林さんはとても喜んで、予定通り3泊の家族旅行に出かけて行きました。

長野はまだ寒い季節でしたが、旅行先の伊豆には春が訪れています。奥さんと二人で満開の菜の花畑にたたずむ写真や、浴衣姿で娘さんたちと旅館でくつろぐ写真などを、あとで見せてくれました。

小林さんは、このときほとんど食事も摂れない状態でしたが、写真を見るとそうは見えないほどしっかりした様子で、家族の中心に存在しています。美しい娘さんたちと奥さん、女性4人に囲まれて幸せそうな表情です。旅の間は体調がひどく悪くなることもなく、楽しい時間を満喫したようでした。

その後、伊豆から戻った小林さんは、体力が急速に落ちていきました。旅行から2週間後の往診で、私は彼にいいました。

「意識がある状態で、ご家族と一緒にいられるのは、いましかありません」

厳しい宣告でしたが、小林さんは布団の中でその事実を受け止めていました。

家族で話し合ったのでしょう。その直後から遠くにいる娘さんたちが家に集まり、再び5人水入らずの1週間を過ごしたのです。さらにその後の1週間は、娘さんたちが交代で付き添って過ごしていました。

その日私は、もう小林さんには時間がないと思って往診に向かいました。春の雪が降る森を通り抜け、なんてきれいなんだろうと車を走らせていると、携帯電話が鳴りました。

「呼吸が止まりました」

愛する家族に見守られ、小林さんが息を引き取ったという知らせでした。

病気になる前の小林さん一家のことはよく知りません。しかし、全員揃って旅行に行き、戻ってからまたみんなで父親を囲み、1日1日を大切に過ごしている様子が伝わってきました。亡くなったあと、娘さんの一人がいいました。

「いろいろあったけれど、もう一度家族になれた気がします」

家族のことは、家族にしかわかりません。

緩和ケアがお手伝いできるのは、患者本人の願いを聞き、家族をバックアップすることです。小林さんには、適切なタイミングで適切な話をしたことで、家族の再構築にまで関わることができました。大変なこともあったけれど、家族旅行をしたいという願いを叶えられて本当によかったと、感慨深い思いでした。

希望は口にしなければ叶えられない

限られた時間であっても

小林さんと出会ってから、看取りまでの時間は1ヶ月半でした。

彼が見せてくれたのは、時間が非常に限られていても、冷静にそれを受け止められたら、残りの時間を十分に生かすことができるということです。

最期まで家で過ごしたい、家族揃って旅行をしたいという二つの希望。

一つ目の希望は、家での態勢を整え、訪問診療や24時間の訪問看護ステーションがバックアップすることで可能になりました。二つ目の希望は、本人が心に抱えてきた思いが旅行という形になって現れたのかもしれません。

心の中の思いを聞き出すには、ちょっとしたタイミングと周囲の声かけも重要だと思います。初診のとき、私は小林さんにいいました。

「症状が現れて具合が悪くなるまでには、まだ少し時間があります。でも、具合が悪くなってきたら、そこから先はあっという間だから、やりたいことは、いまのうちにやってくださいね」

その言葉を小林さんが真っ直ぐ受け止めてくれたから、家族旅行に行きたいという希望も口に出たのでしょう。治療にさんざん苦労してきた小林さんの生きる方向が、そのとき変わったのだと思います。

治療が効かなくなったとき、人は追い詰められた気持ちになります。不安しかない状態では、何かをしようという気持ちも起きません。

人によっては「治すことができない病院など、願い下げだ」といって効果の定かではない民間療法に走ったり、「1パーセントでも可能性があるなら、抗がん剤を続けてほしい」と体力を使い尽くしたりして、残念な最期になってしまうこともあります。病気は闘うもの、闘って勝たなければならないもの、と思っている人ほど、その傾向は顕著です。

治療ができないという現実を受け入れるのは、厳しくつらいものです。しかし、「仕方がないから治療をしない」のではなく、「治療をしないほうが自分のためにいい」と気持ちを切り替えられたら、その先の時間を有効に使えるようになります。死ぬことを考えるだけではなく、生きることを考える話し合いが必要なのだと、改めて小林さんに教わりました。

希望を叶えるために

自分の希望を叶えるには、希望を口にしなければ実現は近づいてきません。それが人生をしまう話し合いの始まりです。

小林さんはまず「最期まで家にいたい」といいました。次に、「家族旅行に行きたい」と思いきって口にしたことで、目標に向かって本人と周囲が大きく動き出しました。希望を口にしやすい、つまり話し合いをしやすい状況を作っていくことも、周りにいる人の役割です。

長年緩和ケアをやっていても、理想的な看取りはあまり多くはありません。関わる時間が短かったり、会う機会が少なかったりすると「あのタイミングで話をしておくべきだった」と、あとから思うこともあります。医者は予測する力はあっても、予知能力を持っているわけではないからです。

100点満点を目指そうとすると満足できる結果にはなりませんが、それでも話し合いをするのとしないのとでは、生きている時間の中身に大きな違いが出てきます。深刻な病気を抱え、寿命を迎えるときなので、思い通りにいかないのは当たり前。患者本人も家族もがんばりすぎず、最終的には試験でいう合格点60点くらいを目指せばいいのではないでしょうか。

話し合いができず、どんな最期をどこで迎えたいか伝えられていない場合は、延命措置をするかしないかで、家族は大きく悩むことになります。でも話しておけば、その最低限の悩みは減らすことができます。なおかつ生きている間の希望を少しでも叶えられたら、そこに幸せがプラスされていきます。

高齢者でも一人暮らしでも若い人でも、話し合いをしておくと、よいことはたくさんあります。話し合えば話し合うほど、本人と周囲の納得や満足が得られる最期を迎えることができるのです。

コラム② 訪問看護師の役割

「必ず本人と家族の気持ちを聞いてから進みます」

訪問看護ステーション愛和
看護師　渡邉真理子さん

さまざまな介助の手で支えていく

今朝もひとり、ご自宅での看取りがありました。

高齢の男性で、奥さまは認知症。その人が奥さまのことを看ていたのですが、がんになってしまったのです。遠方に住む娘さんが仕事を休んで長野に帰ってきて、家で3週間過ごされたあと、静かに亡くなられました。

退院されて自宅に戻ったときは、1週間ご自宅で過ごすことができればいいかなと思っていました。娘さんは気弱になったり涙を流したりしながらも、本当によくがんばりました。娘さんのご主人もたびたび来て、よく支えておられました。

退院して1週間経ったころ、ご本人の状態や娘さんのご様子から「これからさらに具合が悪くなっていくと思われるので、お父さんの気持ちをうかがって、入院もご検討ください」とご提案しましたが、「父は家にいたいといっているし、私は今月いっぱい休みをもらったので、もうちょっとがんばります」といわれました。

平方先生が中心になって痛みのコントロールなどをしていたので、私たち看護師は医療的処置のため毎日訪問。

混乱しがちな奥さまには、ヘルパーや、ショートステイなどの介護サービスなどがバックアップしてくださり、何とか娘さんは介護を続けることができました。どれ一つ欠けてもできなかった、素晴らしい看取りでした。

いつか必ずその日は来る

通常の訪問看護は高齢者が8割以上だと思いますが、愛和病院は緩和ケア専門の病院なので、この訪問看護ステーションも5～6割ががん患者、それ以外が高齢者です。病院と連携を取って家で看取ったり、可能なときは家で過ごして最期は病院、など、さまざまなケースをサポートしています。

命の期限が見え、死が近づいたところで話し合いをするのは、患者本人にとっては抵抗感があるものです。病気の現状と本人の認識のすり合せができていればいいのですが、できていない場合は受け入れ難く、怒りに変わってしまう人もいます。

それまでは「がんばれ」といわれていたので、緩和ケアに来るとなると「見捨てられた」と思ってしまうのです。平方先生のように急性期病院にも緩和ケアの形で関わり、患者さんとなじんでいると「これ以上の治療は負担になるから、安らかに楽に過ごせるようにやっていきましょう」という話し合いに入りやすいと思います。

私はこういう仕事をしているので、自分の父や母ともよく「意識がなくなったときどうする?」「これはしないでほしい」とお互いの思いを伝え合います。仰々しい会話ではなく、ふとした親子の会話の中で話しています。

両親は70代でまだ元気ですが、いつか必ずその日は来る。でも、普段から話しておけば、意識がなくなったときも、家族が推定意思を想定して決められると思います。

しかし、「元気なうちからそんな不吉な話はしない。縁起でもない」といっていると、いざというときに周囲にいる人も迷います。そうならないためには、身近にいい看取りを見ておくことも大切です。

一概に「いい看取り」「悪い看取り」と決めつけることはできませんが、穏やかで安らかな看取りを経験したり、そういう話を聞いたりしていると、自分の最期もこうありたいという気持ちになると思うのです。

本人と家族の意見を否定しない

最期を考える話し合いにおいて、看護師の大事な仕事は家族への声かけです。

「いま、こういう状態になっているので、そろそろ今後のことをお話ししておいてください」

本人の気持ちを考えつつ、家族の負担にもならないように、「家にいたいのか、病院にいたいのか」を話し合っていただく。そのタイミングを逃さないようにしています。

家にいたいけれど理由があってできないのなら、さまざまなサービスでカバーできないか、訪問看護で調整できないか、支援体制を組んで可能にならないかを探ります。

最期は病院のほうが安心できるのであれば、「こういう状態になったら入院しましょう」と、だいたいの予定を決めておきます。でも、状況によって気持ちは変わるものですから、変わったらまた教えてもらいながら、臨機応変な対応をしていきます。大事にしているのは、何かアクションを起こす前に、必ず本人と家族の気持ちを聞いて進むことです。これは、私たちの訪問看護ステーションにいる看護師全員で統一しています。

本人やご家族が判断できないときには、判断材料を提供します。後悔が残ってはいけないし、医療従事者側に答えを誘導されるのは、みなさん不本意でしょう。意見を求められればお話しすることもありますが、「これは私個人の意見であって、ご家族が従う必要はない」ということもお伝えします。

こちら側の意見を押しつけたり、本人や家族の意見を否定したりしないことは、とても大事です。また、それまで関わっていなかった遠くの親戚や、声の大きい人の意見が強くなっているなと思ったときには、仲裁に入ることもあります。看護師だけで納得されない場合は、医師に話してもらいます。それを受けて方向性を調整していくのが、私たちの役目だと思っています。

一方で、医師や看護師にはいいづらくても、ヘルパーにならいえるという関係性もあります。そういうところから意見を拾い上げることも大事です。訪問看護師は話を仲介し、コーディネーションをする役割も大きいですね。

本人や家族にとって、不安や疑問など思っていることをいちばん話しやすいのは、おそらくヘルパーかもしれません。しかし、医学的知識を持っていて話しやすい立場にいるのは訪問看護師。そういう意味で、私たちの存在を大いに活用していただけたらと思います。

ケース7

してよかった！
人生をしまうための話し合い

肝臓の症状は
ギリギリに現れる

肝臓が命を決める病気

川村光男さん（70歳）は胃がんから肝臓への転移があり、すでに完治する治療法はないという状態で、私の外来に来られました。

初めて診察したとき、医師としての経験から感じたのは「肝臓の状態がこの人の命の長さを決めるだろう」ということでした。おそらく最後は、肝不全がやってきます。

緩和ケア医として診察をしていると、その患者さんがもともと何の病気だったのかは、あまり気にならないことも多いです。それより重要なのは、いま、つらい症状が出ているのはどこなのか、どの臓器が最終的な命の長さを決めるのか、ということなのです。

人が生きるために必要な主な機能には、「心臓」「肺」「肝臓」「腎臓」「脳」「消化管」があります。すべてが大切な機能ですが、消化管以外はどれか一つでも限界がくると、命が終わります。

肝臓の仕事は、体内に入った栄養を受け止めて配ることと、老廃物を片づけること。

私たちが食べたものは、そのままでは細胞の燃料にはなりません。消化管から門脈という血管を通っていったんすべて肝臓が受け止め、細胞が使えるエネルギーに組み立て直して配ります。それと同時に、細胞が活動をして出てきた老廃物も片づけているのが、肝臓の仕事です。

生きていくために最低限必要な力を1とすると、肝臓にはその5倍や10倍の力の余裕があります。病気になるとその力が落ちていくのですが、余裕の部分が減っていく段階ではほとんど症状が現れません。

しかし、余裕の部分がなくなって、生きていくために最低限必要な力を下回ってきたとき、初めて体に症状が出ます。病気の勢い自体はそれまでと変わりないのですが、患者さんもこのとき急激に症状が悪化したように感じます。そうなったときには、すでに病気はかなり進んでいるということです。

たとえば私の患者さんでは、体に症状が現れてから最も早くて6日後に亡くなった人がいました。

病気の進行には個人差がありますが、肝臓が命を決める病気の場合、話し合いをするにも症状が現れるまでの時間がとても大切だと、最近は肝に銘じています。

ところで、「肝臓がこの人の命を決める」と私が感じる病気は、ほかの臓器のがんが肝臓に転移した場合がほとんどです。胃がんからの肝転移、大腸がんからの肝転移、乳がんからの肝転移など、さまざまなものがあります。

肝臓がんはこの中には入りません。

これは私の勝手な考えですが、肝臓がんの多くはB型肝炎やC型肝炎が進んで肝硬変になり、さらに病状が進んで、がんになっていきます。肝硬変や肝臓がんになった肝臓は、スジだらけ。がんになるともちろん肝臓の働きは落ちますが、スジだらけのせいか、病気は急激には進まない印象があります。

しかし、健康な人の肝臓はもともとたくさんの血管があって、やわらかく栄養も豊富です。肝転移をしたがん細胞は、その栄養を得て急激に大きくなりやすく、正常な肝細胞が急激に減少して、「肝臓が命を決める」ことになりやすいのです。

緩和ケア医をしていて肝臓がカギを握るケースが多いことに気づいたのですが、すべての医師がそう考えているわけではありません。自分の専門である臓器のがんに意識が向きすぎていると、転移した肝臓まで目が届かないこともあるように思います。

もとの病巣を見て「命に差し障るまではまだ時間がある」と思っていると、思わぬところで終わりを迎えてしまう。そうならないよう、ほかのがんからの肝転移には十分な注意が必要です。

また、肝臓と同じように肺も余裕がある臓器なので、症状が現れたあとは病気が一気に進んでいくように感じられます。肝臓と肺にはそうした特徴があることを覚えておくと、役に立つことがあるかもしれません。

お花見に行きたい

さて、前置きが長くなりましたが、川村さんの場合も胃がんからの肝転移でした。

私は「この人の命は肝臓で決まる」と思った人にいつもいうように、川村さんにも伝えました。

「ここから先、肝臓の力が弱っていきますが、症状が出るまでにはまだ時間の余裕があります。症状が出てからはものすごく速く進むことが多いので、やらなければならないこと、やっておきたいことを早めにしておいてください。時間を最大限上手に使ってくださいね」

肝臓の症状が出るまでに、やるべきことはほぼ終わっている状態にしてもらう。これは、医者にできるこれからの過ごし方のアドバイスの一つです。

川村さんは、以前は教職に就いていたそうで、とてもしっかりした方でした。私の話を聞き、思うところがあったようです。

「できるだけ自宅で過ごしたいんです。体がつらくなったら入院します」

その後は、親しくしていた教え子と連絡を取り、たびたび家に呼んで話をするようになっていました。お子さんがいない川村さんにとっては、教え子が子どものような存在だったのでしょう。

川村さんに初めて会ったのは11月。冬を越し、春を迎えるころには「お花見に行きたい」という希望を持っていました。

3月の終わりには、体力が落ちて入院を希望しました。そして、4月に入ったある日、なんとか出かけられそうだったので、介護タクシーを呼んで奥さんと教え子数人とで公園にお花見に出かけました。

大好きな人たちに囲まれ、桜を愛でてとても気分がよかったのでしょう。ほんの1時間ほどでしたが、お花見から戻った川村さんは満足そうに眠っていました。

渾身のコミュニケーション

それから1週間ほどが経ち、川村さんは次第に意識がなくなって、完全な昏睡状態になったように見えました。肝臓が悪くなった人の意識の低下には、特徴があります。私はベッドの横で、そのことについて奥さんに説明をしていました。

「意識が薄れていくというより、真ん中に意識は残っていると思うんですよ。その意識の周りに、肝不全によって片づけられないドロドロモヤモヤしたものがあって、現実の世界とうまく折り合いがつけにくい状態になっているんじゃないかと思います」

すると、意識がないように見えた川村さんが、大きな声ではっきりいいました。

「まったくその通りです！」

奥さんと私は驚いて、顔を見合わせてしまいました。奥さんはベッドに駆け寄り、川村さんの手を握ります。すると少し間をおいてもう一度、確かめるようにしっかりとした口調でしゃべったのです。

「先生のいわれる通りです」

それ以外は言葉になりませんでしたが、奥さんは川村さんの手を握ってうなずいていました。2日後、川村さんは奥さんに看取られて静かに息を引き取りました。

私が川村さんの奥さんに語ったのは、いままでの経験から「肝臓の悪い人の意識低下はおそらくこんな感じだろう」と想像したことでした。

意識の低下が起こると、多くの患者さんはもう口を開くことはありません。思いがけず患者さん本人から「その通り！」といってもらえたことは、私にとっても驚くべき経験でした。

川村さんにとっては「その説明で合っていますよ」という意思表示であり、「この状況をわかってくれる人がいた！」という渾身の叫びだったのかもしれません。

私は川村さんとの最期のやり取りを経験したあと、肝臓が悪くなっている人に、前もってこの話をするようになりました。

「意識は残っていても、その周りにモヤモヤとしたものがあってコミュニケーションが取りづらくなることがあります」

「現実の世界と頭の中の世界のリアリティーの差がなくなり、頭の中で考えたことが、現実のように思えてしまうこともあります」

以前は同じような状況にある患者さんが、ひどく混乱したり、おかしな行動を取ったりするケースがありました。しかし、この説明をするようになってからは、混乱やせん妄（高齢者に多く発症する一種の意識精神障害）を起こす人はとても少なくなりました。

その代わり、夜中に自分で痛み止めの点滴の針を抜き、ナースボタンを押して「いま、変な夢を見ていて針を抜いてしまったので、もう一度お願いします」といった人や、「第三の世界が頭の中に現れた」と表現した人など、肝臓の力が少なくなったときにどんな感じになるかを教えてくれる人が増えて、私の知識と経験を増やしてくれています。

患者さんにこの病気で何が起こるのかあらかじめ伝えておくと、いったん自分で考えて対処できるようになる。混乱することも怖がることもありません。どんな状況になっても、人はすごい力を持っているものだなと思います。

人生をしまうための話し合い

命が終わりに近づくとき

終末期、三つのパターン

命が終わりに近づくとき、人の体には何が起こるのでしょうか。終末期の経過には、パターンがあることを知っておくといいと思います。

一つ目は、老衰。

老衰は、体調の波はあるものの、一貫してゆるやかに体力が落ちていきます。ひどく悪い臓器がなくても、生きていくための最低限必要な力を下回ると命が終わってしまいます。なだらかな坂を下りていくのですが、その坂があまりになだらかなので、どれくらいの時間で限界に到達するのかは予測が難しい。

多少の波があってもそのときの波が命に関わることも関わらないこともあるし、一つの波を乗り越えたとして、次の波がいつ来るかもわかりません。体力の限界にも個人差があります。いろいろな理由で、家族に「あとどれくらいですか?」と聞かれても、なかなか予測しにくいのが老衰です。

ほかの病気と違って全体のバランスが取れていて、体の年の取り方と頭の年の取り方にも、大きなズレはありません。老衰に軽い誤嚥性肺炎が加わるような場合も、イメージとしては指一本で押し下げるだけで命が終わる体力になっているため、苦しむことは少ない最期です。

二つ目は、心不全や呼吸不全。

心不全は、さまざまな理由で心臓から十分な血液が送り出せなくなる病気。呼吸不全は呼吸によって十分な酸素が取り込めなくなって、ほかの臓器まで働かなくなる病気です。

どちらも治療をすればある程度は治りますが、完全に元通りにならないことも少なくありません。何度か再発を繰り返してそのたびに少しずつ悪くなり、ぐっと状態が低下して限界を迎えたときに命の終わりがきます。

時限爆弾を抱えているようなものなので、一度これらの病気にかかったら、回復して元気になったときに、話し合いをしておくことをお勧めします。

三つ目は、がん。

がんにはさまざまな治療法があり、どれかが効けば治る可能性は高くなっています。

しかし、どんな治療をしてもすり抜けてくるがん細胞もあり、限界を迎えることもあります。その先の治療をすれば体力が大幅に落ちることが確実で、残った治療法も病気を抑える効果が低いとわかっている場合には、治療のメリットとデメリットを考えて、治療をしない選択をすることもあります。

老衰では体と頭の年の取り方にほとんどズレがないのですが、がんの場合はたいてい体のほうが年を取るスピードが早くなります。それでも若い人なら亡くなる1ヶ月くらい前までは比較的元気に過ごすことができるのもがんの特徴で、最後にガクッと体力が落ちます。

がんは若い人にも多いため、看取るのはとてもつらいものです。

ただ、私が最近気づいたのは、がんの人の最期は、高齢者が憧れるピンピンコロリの死に方と似ているということです。ぎりぎりまで比較的元気で、意識もはっきりしていて、長く病床に臥すことは少ない。痛みのコントロールができれば、苦しむ時間も少なくなります。

命の長さは短くなることが多いのですが、状況がわかってから、考えたり準備をする時間があるのは、ピンピンコロリよりも恵まれていると感じることもあります。

がんと診断されたら、多くの人が残りの時間を考えるでしょう。ただ、診断されてすぐの時期は動揺して判断を誤る可能性があるので、ある程度治療が落ち着き、気持ちも落ち着いたときが、話し合いをするのに適したタイミングです。

頭と体のズレをなくす

私は40年近く前に、父をすい臓がんで亡くしました。父はよく勉強する医者だったので自分の病状を理解し、覚悟もしていました。

「主治医の先生はこういったけど、本当はこうだと思うよ」と、病状を隠すのが当たり前だった当時の主治医の説明と照らし合わせて、自分の見解を家族に伝えたりもしていました。

亡くなった日の昼間、私が病室に行くと父は「ベッドから起こしてくれ」といいました。起こしたら、今度は「寝かしてくれ」といいます。

その当時は「寝たり起きたり、何がしたかったのだろう」と思っていましたが、いま思えば、身の置き所がないつらさがあったのでしょう。

繰り返しますが、がんになると体が年を取るスピードが早くなります。頭のほうはいままで通りの状態なので、「体もこれくらいできるはず」と指令を出します。しかし、体が応えてくれないので、じれったくて仕方ない。そのズレが、身の置き所のなさなどの症状として現れます。

体の元気を増やすことができればズレは少なくなりますが、その段階になると、もう増やすことはできません。そういうときは、ケース4の金田さんもそうでしたが頭のほう（意識）のレベルを下げて、ズレを小さくしていきます。

使うのは、最低限必要な鎮静剤や睡眠薬。これで眠くなる人もいるのですが、うまくいくと眠くならずに、体のだるさだけが取れて楽になります。

眠くなるかならないかの違いは、症状の強さと体力が関係します。これ以上意識レベルが下がると眠くなるというゾーンがあり、その手前で止めることができれば眠くなりませんが、体の力が少なかったり症状が強かったりすると、眠ってしまう量を使わないと楽に過ごせないこともあります。

少し早く昏睡状態を招く場合もありますが、人生の最期を楽に過ごすためには役立つ手法です。

ケース8

してよかった！人生をしまうための話し合い

子どもの記憶に残るまで生きていたい

音楽がつないでくれた縁

つい先日、地元オーケストラのコンサートがあり、ティンパニ奏者として出演しました。私は中学から始めた打楽器をずっと続けていて、いまもいくつかのオーケストラに参加しています。そのコンサートの終演後の打ち上げ会場で、コンサートミストレスのバイオリニストと話す機会がありました。

「愛和病院（私の勤務する病院）といえば、教え子のお母さんがお世話になったところだわ」

自分に関係があった患者さんかなと思って話していると、聞けば聞くほど、「ああ、あの人だ！」としばらく前に看取った若い女性の記憶が蘇ってきました。

その女性――佐藤美樹さん（40歳）はとても音楽が好きで、娘さんにバイオリンを習わせていたことも思い出しました。コンサートミストレスは、佐藤さんの娘さんのバイオリンの先生だったのです。

佐藤さんは一家で海外に赴任中に、進行がんが見つかりました。地元長野に戻ることになったとき、海外での主治医だった日本人医師が、東京の友人医師に「長野でがんに詳しい先生を知らないか？」と相談し、私に連絡が来たのです。

東京の医師は、学生時代からつきあいのある私のオーケストラ仲間でした。考えてみれば、最初から音楽がつないでくれた縁だったというわけです。

明るい表情の裏側に

私の専門は緩和ケアなので、佐藤さんにはまず信頼できる呼吸器内科の先生を紹介し、主治医が決まりました。最初に診断した海外の先生は「緩和ケアにもつながりを持っておきなさい」といったそうで、彼女は帰国と同時に私にメールで連絡を取り、しばらくして外来にもやって来ました。

以前は緩和ケアといえば、ホスピスのようなところで治療をあきらめた人が受けるものでした。しかし、いまは定義が広がり、「命に関わる病気で困っていることがあれば、手助けすること」のすべてを緩和ケアというようになっています。

「なんだかよくわからないんですけれど、最初に診てもらった先生が行けっていうので来てみました！」

彼女は化学療法の真っ最中で、髪の毛が抜けていたためカツラをかぶっていました。もともと明るい人なのでしょう。若く見える上、重い病気には見えないほどあっけらかんとしています。当時の佐藤さんは、抗がん剤の治療効果は上がっていたものの、病気が徐々に進行していました。

最初は海外での生活がどれほど楽しかったかを聞かせてくれましたが、突っ込んで話を聞くうちに、いろいろなことがわかってきました。彼女は子ども3人を持つお母さんで、いちばん下の子は、まだ3歳です。

「自分の具合が悪くなったときのことを考えると、絶望的な気持ちになります。治療はきついのですが、子どもが小さいので可能な限りがんばりたい。子どもの記憶に残るくらいまでは、生きていたいんです」

その覚悟に胸を衝かれました。小さな子どもを育てている最中に、自分ががんになるなんて誰が想像するでしょうか。

彼女は明るく振る舞っていましたが、ときどきズタズタになりそうな心を抱え、子どものために少しでも長生きしたいと考えていました。

当時はまだ体力が十分にあったので、緩和ケア外来で茶飲み話のような雑談もたくさんしながら、私たちは仲よくなりました。

病気のこれからについて話をすると、「なるべく家で過ごしたい」という希望です。

もちろんその願いは叶えられますが、つらい症状が出ることも予想されるので、病院のほうがよいときは家で無理にがんばらずに遠慮せず病院へ、という選択肢も提示しました。

がんの治療は、行うたびに体力が落ちていきます。それに加えて、抗がん剤の効きが悪くなってきたり、まったく効かなくなったりすることもあります。状況は厳しくなってきましたが、続けられる間は抗がん剤を続けたいといったので、側面から支え続けることにしました。

家がつらい場所にならないように

治療が始まってから1年4ヶ月後、何度目かの抗がん剤治療のあとに、転機がやってきました。

「抗がん剤の治療後に、もう死んでしまうかというくらいのだるさに襲われたんです」

顔色も悪く、ぐったりしています。そして、もう抗がん剤治療はやめると宣言しました。いままでは、子どものためにできる限り治療を続けていきたいと気力で治療してきましたが、ついに体のほうがこれ以上は無理と音を上げ、覚悟を決めたという感じでした。

少しでも体力の消耗を防ぐために、外来に来てもらうのではなく、訪問診療で診ていきました。曜日と時間を決めて毎週定期的に訪問したので、彼女とは、ずいぶんいろいろな話をしました。暗い話ばかりではなく明るい話もあり、軽い話もあれば重い話もする。この間、ずっと最期に向けての話し合いをやっていたようなものです。

抗がん剤の副作用が治ったころには、かなり体調がよくなった時期もありました。そのタイミングでお子さんたちの発表会が重なり、出席できて、とてもうれしそうでした。調子がよい日は、これまでの人生がどれほど幸せだったか、いま、何に悩んでいるのか、これからどうしたいかなども話してくれました。

一方、治療に当たっている主治医からの情報では、病気の進行はかなり深刻でした。呼吸も苦しくなっていたため、在宅で酸素吸入をできるようにしました。

ある日訪問すると、足の痛みと麻痺が急速に進んでいます。骨転移に伴う症状でした。一刻も早い治療をと、主治医のいる病院に連れて行き、放射線治療をしてもらいました。

その後は、痛み止めの薬を届けに行ったときにご主人と初めて会い、お子さんたちとも顔合わせができました。これからつらい時期に入っていくので、支えるご家族との関係を作っていくことも大切にしました。

彼女はなるべく家で過ごしたいと希望していましたが、私はいいました。

「おうちであんまり無理してがんばると、家族に苦しい顔も見せることになります。家族にとって家が『お母さんや奥さんが苦しんでいた場所』になると、家にいるのがつらくなることもあります。そういうことも考えて、病院も上手に使ってくださいね」

居場所を選ぶのは患者さん本人ですが、どちらでも対応できるようにしておけば患者さんにとっても気持ちが楽です。ほとんど動けなくなってきたある日、本人がいいました。

「数日、体験入院がしたいんです」

そろそろ入院の頃合いではないかと思っていたので、すぐに対応しました。家族の生活を乱したくないという理由で、本格入院には抵抗があるようです。

「何日くらい入院するかは、様子を見ながら決めましょう」

しかし実際は、病状がずいぶん進行していました。家にいたいという本人の思いを尊重しすぎると、体が無理をして貴重な時間が少なくなります。揺れる気持ちを聞きながらアドバイスをし、体験入院から本格入院に切り替えました。

自分の葬儀の手配もして

入院から1週間ほど経ったある日、病室の前を通りがかるとご主人とスーツ姿の女性が二人来ているのが見えました。あとで佐藤さんに「保険会社の人?」と聞くと、「セレモニー会社、葬儀屋さんです」との答えでした。

「主人は仕事をしながら、子どもの送り迎えとか、家事とか、私の見舞いとかで本当にがんばってくれているので、心配ごとは一つでも減らしておきたいと思って」

この状態になってまで、家族を思う気持ちで前に向かって行動しています。そんな彼女を見て、この1年半でものすごく強い人に成長したのだと感じました。

いつの間にか自分の葬儀をすべておぜん立てし、ご両親との間にあったわだかまりも解消していました。初めて会ったとき過酷な運命に押しつぶされそうだった人は、もうどこにもいません。

彼女は一度だけ自宅に戻りたいと願っていたので、入院13日目に3時間ほどの帰宅を計画しました。体力的にはかなり厳しい状態でしたが、看護師一人がずっと付き添って帰宅。きっとやりたいことは山ほどあったでしょうが、「とってもいい時間を過ごせました」といって戻ってきました。

その3日後、彼女はいいました。

「先生、もう限界です。眠らせてください。でもその前に、子どもたちに『ありがとう』っていって、抱きしめたい」

すでに体は限界を超えた状態です。ご主人に子どもたちを連れてきてもらって、家族をしっかり抱きしめ、ご両親とも会話を交わして静かに永眠されました。

オーケストラのコンサートミストレスは、彼女の葬儀で娘さんとバイオリンのデュエット演奏をしたそうです。私は患者さんの葬儀に行くことはないので知りませんでしたが、きっと彼女が「娘と一緒にバイオリンで送ってほしい」と頼んでいたのでしょう。

娘さんにとっても生まれて初めての大きな悲しみの中で、懸命に演奏をしたことは忘れられない思い出となったはずです。

彼女が家族に遺したものの大きさを知ることができ、音楽がつないでくれた不思議なご縁に、いまさらながら感謝するのでした。

人生をしまうための話し合い

若い人の場合

高齢者と若い人の違い

人生の予定というのは、おおむね順風満帆に進んでいくことが前提になっています。誕生から、小児期、青年期、壮年期、老年期を経て、やがて寿命が来る。その間に私たちは勉強し、就職し、恋愛し、仕事をし、趣味を持ち、結婚や子育て、親の看取りや老後の生活などを経験していくというのが、一般的な人生の予定表でしょう。何歳で病気になり何歳で死ぬ、などと予定を立てる人は、まずいないと思います。

たとえば、高齢者なら、予定表の多くをクリアして残り時間が少ないとわかっているので、周囲も比較的冷静に命の終わりを受け止めることができます。最低限の意思表明はしておいたほうがいいにしても、それ以外は話し合いなどしなくても「いい人生だったね」といえる最期がたくさんあります。１００歳になって幸せそうにほぼ1日中寝ている人に、話し合いは必要ありません。

しかし、佐藤さんのように若くして進行がんになると、もともと描いていた人生の予定が突然崩れて闘病生活が始まります。子育ての途中、仕事の途中、何もかもすべてが志半ばなのに、命に関わる予定外のことが次々に起きてくるのです。

予定とは違う展開に翻弄されると、患者本人も残される家族もボロボロになっていきます。そのままにしておくと、命が終わるときに「こんなはずじゃなかった」ということになります。

「こんなはずじゃなかった」とならないために、若い人の場合は特に意識して、本人を中心とした話し合いをすることが必要です。周囲の人も力を合わせ、覚悟と優しさを持って向き合わなくてはなりません。

若い人の看取りは、高齢者の看取りとは違って、とても難しい。私たち医療従事者も難しい看取りを見抜く目を持ち、本気を出していく必要があると思っています。

早い段階から話し合いを

若い人が重い病気を宣告されると、本人も家族も最初は気持ちが動転しています。そういうときは、落ち着いて話せる状況になるまで少し待ったほうがよいでしょう。

ただし、時間の余裕がない場合もあるので、病気の見通しを主治医からよく聞き、なるべく早い段階から話をすることも重要です。

話し合いの内容は人それぞれですが、一般的なポイントは次の通りです。

・これからの病気の見通し
・これからの人生の見通し
・伝えておきたいこと
・やっておきたいこと
・具合が悪くなったとき、どうしたいか（それが現実的かどうか医師の意見も聞く）
・命の終わりが近づいたとき、どこで過ごしたいか（望み通りにいくか、医師の意見

も聞く）

佐藤さんの場合は、治療と並行して緩和ケア外来に通っており、早い段階から心の準備を進めてきました。ただ、誰もが佐藤さんのように準備できるわけではなく、もっと時間がないケースも多いでしょう。

短い時間に話し合うべきことがたくさんあるし、押しつぶされそうになる重い内容もあります。そんなことを考える余裕もないと思うかもしれませんが、無理にでも時間と機会を作り出して、話をしたほうがいいと思います。

家族や親しい人だけではなく、早めに治療医、緩和ケア医、心のケアの専門家なども巻き込み、こまめに丁寧に、話をする時間を持つことです。

そうして本人の希望が一つでも叶い、不幸や痛みを減らすことができて「この人生で幸せだった」と思って命を終えられたなら、残された人の不幸もそれだけ軽くなります。

心に穴があく悲しさや虚しさはどうしようもありませんが、ぽっかりあいた穴も大事にしていこうという気持ちになるのではないでしょうか。

闘病生活が長くなるケースもありますが、佐藤さんの場合は継続して話し合いを重ねることで、本人がとても強くなっていきました。その手助けが少しはできたかなと思います。

ケース9

してよかった！
人生をしまうための話し合い

兄妹の和解を見届けて逝った母親

話題の玉手箱

太田嘉子さん（82歳）は、私がいまの病院に勤め始めてから、最も長くおつきあいした患者さんです。

もともと関節の持病があって病院に通っていましたが、その後に大腸がんと肺がんが立て続けに見つかりました。肺がんは、病変が小さいことや治療をすると大がかりになって体力が持たないという理由で様子を見ることになり、大腸がんだけ手術を行いました。

手術後は、予想以上に大きく体力が落ちて、ほとんど寝たきりのような状態になりました。

回復するかどうかわからない状況でリハビリ病院に移りましたが、持ち前の底力とがんばりでだいぶ持ち直してきたので、退院することになりました。自宅に帰れる状況ではないので有料老人ホームに入ることになり、訪問診療してほしいという依頼が来ました。そこから2年3ヶ月のおつきあいが始まったのです。

太田さんは話題の尽きない方で、話していると、とても面白い人でした。話したいことがたくさんあるようで、週に一度の私の訪問診療を心待ちにしてくれています。

興味深い話題が次々に出てきて話が終わらないので、一度行くと1時間くらい帰れなくなることも、しばしばでした。

彼女はご主人と二人で若いころから店を経営してきたのですが、ある程度の年齢になったとき、もう商売は十分やったとスパッと店を畳み、旅行に行くことにしました。それから日本全国行っていない場所はないくらい、二人でさまざまな土地に出かけたそうです。

感心するのは、彼女の記憶力がとてもいいことでした。

たとえば、私が通った大学のある山梨や、医者になってから赴任した北海道について、名所からおいしいものまで、さまざまな話ができます。研修医を連れて訪問診療に行ったときは、その人の出身地である九州や、学生時代に住んだ山口の話がするすると出てきました。

こちらの話を聞き出すのも上手だし、コミュニケーションを取りながら会話を盛り上げるのも上手。さすが、長年商売をやってきた人だけあります。いまは自由に旅行に行くことはできなくなりましたが、たくさんの思い出を人に語ることで、もう一度楽しんでいるようでした。

当時は北陸新幹線が長野から金沢まで延びるのに備えて、E7系という新型新幹線が試験運転を始めたころでした。E7系には各座席にコンセントがあることや、グランクラスという高級な車両が連結されていることなどをうれしそうに話し、「乗ってみたいねえ」といいます。私も鉄道好きなので、話が大いに盛り上がりました。

人生を楽しむ達人のような太田さんが、お子さんが来たときにいっていたことが印象的です。

「会えば、会いおさめだよ」

この言葉は、彼女自身が子どものころにおばあさまから聞かされてきたそうです。自分も高齢になって、がんもあり、いつどうなるかわからない。会った時間を最期だと思って大事にしなさい、と伝えたかったのでしょう。

偶然とは思えないつながり

太田さんには、自慢のお孫さんが何人もいました。

そのうちの一人はバイオリンがとても上手で、音楽の道に進むという選択肢もありましたが、都内の大学の文系学部に進みました。大学でもオーケストラで演奏し、就職してからはアマチュアの中ではトップレベルのオーケストラに加入して音楽を続けている、ということでした。

私も中学から打楽器を始めて、大学時代は全日本医科学生オーケストラなどに毎年参加し、いまでも年10回ぐらいあちこちの演奏会に出ています。太田さんは「音楽のことはよくわからないけれど」といいながら、たくさんの話題で盛り上がりました。

私の大学時代の友人にも、東京の熱心なアマチュアオーケストラに入っている人がいます。毎週真剣勝負の練習があって演奏会が年4回もあり、入るのも続けるのも大変だという話は聞いていました。演奏会を聞きに行ったときには「アマチュアでもこれだけの演奏ができるんだ」と感心し、尊敬している友人です。

太田さんの話を聞いて、お孫さんが入ったオーケストラは、私の友人が参加している団体と同じではないかと思いましたが、その日は団体名がはっきりしませんでした。太田さんが次の週の訪問までに確かめてくれて、同じ団体だとわかりました。

ある人のお孫さんがバイオリンを弾いていて、そのアマチュアオーケストラに参加している確率はとても低いと思います。私の友人がそのオーケストラに参加している確率もまた、かなり低いものです。そして、ある人と私が患者さんと主治医という関係になる確率も、これまたとてつもなく低い。全部を掛け合わせると、この世界の中で出会うのが難しいくらい、低い確率ではないかと思うのです。

医者になってからのことを思い起こすと、こういう出会いはほかにもいくつかあって、世の中には偶然では説明できない「必然の出会い」や「運命」というものがあるんじゃないかなと、ときどき感じます。

仲違いした兄妹

私は太田さんのところに毎週のように訪問し、体の調子を聞いたり診察したりという医者の仕事ももちろんしながら、楽しい話やためになる話、生き方について考える深い話など、さまざまな会話を楽しんでいました。

ところがある日、訪問した先で待っていた太田さんの顔は、いつになく真剣な、というより深刻な顔に見えました。「何か変わったことがありましたか？」と聞いたところ、「実は先生に相談というのも変ですけれど、報告しておきたいことがありまして」と、話を始めたのです。

太田さんには、二人の子どもがいます。兄と妹で二人とも遠くに住んでいて、その二人がだいぶ前から仲違いしているというのです。

どちらも母親を通して互いの予定を探り出し、見舞いに来た部屋で顔を合わせることがないようにしています。駅ですれ違ったときにも気づかなかったふりをしたという話を聞き、彼女は心を痛めていました。

「自分が死んだあとに、子どもたちがいまのような関係でいてほしくないんです。子どもの間に交流がなくて、孫たちは従兄弟同士なのに疎遠になっているのも残念」

そう打ち明けてくれました。詳しいことは聞きませんでしたが、どうやら兄妹の価値観にズレがあり、溝が段々深く大きくなって、いつの間にかお互い接触を避けるようになっていたようでした。

「会えば、会いおさめ」という言葉からわかるように、彼女は人生のさまざまなことに深謀遠慮を巡らせることのできる人でした。店を畳んで家を整理し、子どもに迷惑はかけたくないと有料老人ホームにさっさと入居して、具合が悪くなったときは私の病院で緩和ケアを受けることも決めていています。

そんな彼女でも、家族のことだけはうまくいっていなかったのです。

この日から何回か、いつもの雑談に加えて「子どもたちのことを、こうしたいと思っているが先生はどう思うか」と相談され、第三者から見た意見をいいました。

基本的には彼女の悩みを聞くことしかできませんでしたが、話しているうちにだいぶ気持ちが整理できたようでした。

兄妹の和解

そんな折、別の施設で生活していたご主人の具合が悪くなりました。

これまでに何回か心筋梗塞などで入院歴があり、今回は別の病気で入院しましたが、かなり具合の悪い状態です。できる治療はして危機は乗り越えたものの、年齢と闘病経過から考えると、この先長く生きるのは無理と思われる状態でした。そのため、最期まで看てくれるという、入院前から入っていた施設に戻ることになりました。

太田さんはご主人の状況と自分の状況を見て、念入りに考えていた子どもたちのわだかまりを解消する計画を実行に移しました。

まずは、自分と二人の子どもが同時に集まるようにしました。そして、これまでの経過や思っていること、感じていることをまとめたものを書いて見せ、昔のように仲のよい兄妹に戻ってほしいと話したのです。

彼女はそれまで、仲が悪くなってしまった原因は自分にあるのではないかと考えていました。時間の流れに沿って話を整理し、「そのようなことがあったのなら申し訳ない」と謝ったところ、「お母さんのせいじゃない」といって、子どもたちはそれぞれに、なぜ、いまのような状況になってしまったかを話し始めたそうです。

私はその場にいたわけではないので、詳しいことはわかりません。

太田さんの話によると、価値観の違いや相手の態度が気に入らないなど、些細なことが原因で溝ができてしまった。お互い別々に暮らしていたのでその溝は埋まることがなく、年月が経ってしまったようでした。

次の週に訪問すると、太田さんは満面の笑顔で報告してくれました。

「これからは必要なことは話し合って決めていくって、二人がいってくれたんですよ」

それから間もなくご主人は亡くなりましたが、通夜に参列した彼女の前でお孫さんたちが仲よく話をしているのを見て、とても満たされた気持ちになったそうです。

その後も訪問診療を続けましたが、肺がんは徐々に進んで息苦しさが生じ、愛和病院に入院。治療でいったん楽になって退院しましたが、3ヶ月後に病状と体力が限界を迎えて再入院し、最期は病室でお子さんたちに囲まれて、静かに息を引き取りました。

愛和病院では、家族の希望があれば、お別れ会という短いキリスト教の礼拝のような集まりを家族とスタッフで持って、患者さんをお送りするようにしています。

太田さんの場合は、家族から宗教色のある会なら遠慮したいという希望があり、宗教とは関係なく思い出を話すお別れ会を開き、送り出しました。

人生をしまうための話し合い

家族のコミュニケーション

最後で最大のチャンス

一人の人が人生の最期に向かっていくとき、家族の存在はとても大きいものです。

しかし、家族の状況は本当にさまざまで、100人いれば100通りの家族の看取り方があります。医療従事者側では、家族関係にできるだけの配慮をしながら情報を伝えるように心がけていますが、全部を把握しきれるわけではありません。

私たちは多くの場合、家族の中で「この人に主な情報を伝えておけば、ほかの人に伝わるだろう」という「キーパーソン」を選びます。

しかし、そのキーパーソンに話を伝えても、「家族に伝えます」といいながら、まったく伝わっていないことがたまにあります。近い関係だからこそ、家族間のコミュニケーションは難しいものだなと、しばしば感じます。

人間関係がややこしかったり、隠しておきたいことがあったりすると、それが明らかになるような話し合いを避け、この世からあっさり逃げ出したい人もいるかもしれません。

ただ、問題をそのままにして逝かれると、問題が明るみに出たときに解決の鍵を握っている人がいないため、残された人は途方に暮れてしまいます。

「立つ鳥跡を濁さず」ということわざがあります。一時的に波風が立つとしても、跡を濁さないために、残される家族がより幸せに過ごすために、話し合いが必要な場面があります。

太田さんがお子さん二人と一緒に話した時間は、彼女が開いた数々の話し合いの中でも、いちばん話したかった内容だったのではないかと思います。

人生が終わりかけている時期というのは、思い切って家族や親しい人に自分の意思を伝える、とても大きなチャンスです。太田さんはそのチャンスを、見事に生かしました。

最期に「こんなはずではなかった」と後悔しないためには、早いうちからできる話し合いをしておくのがコツです。そのままで終わらせないために、最後にして最大のチャンスを逃さないようにしましょう。

考えていることは一人ひとり違っても、本人を中心にコミュニケーションを取って話し合うことができれば、よりよい未来につながることでしょう。

ケース
10

してよかった！
人生をしまうための話し合い

夫婦のラストダンス

夫婦でがんになる

志賀敏行さんと泉さんは、80歳に近い高齢のご夫婦です。娘さん夫婦と暮らしていて、軽い話から重い話までさまざまな話ができる、会話の豊かな家だったようです。そんなご夫婦が相次いでがんと診断され、私は緩和ケア医としてお二人に関わりました。

最初にがんになったのは、妻の泉さんでした。膀胱がんと診断され、本人は「緩和ケア病棟で看取ってもらいたい」といって、私が当時勤めていた諏訪中央病院を受診されました。

当時の諏訪中央病院の院長は鎌田實先生で、『がんばらない』（集英社文庫）などの本を通じて、「緩和ケア」という医療があることを世の中に広めてくれていました。そのおかげで、諏訪中央病院で緩和ケアを受けたいという人が、全国から次々に訪れていました。

しかし、鎌田先生と泌尿器科の医師が診たところ、泉さんは手術をすれば完治も期待できる状態だということがわかりました。そこで彼女は、泌尿器科の医師の説得で手術を受け、その後は順調に回復し、泌尿器科外来に定期的に通院していました。

そうこうするうち、今度はご主人の敏行さんが胆道がんと診断されました。

敏行さんも泉さんと同じように、「看取ってもらおう」という気持ちで諏訪中央病院を受診されました。このときも医師が「命に関わるまでに、まだ当分時間がありま す。ただ、黄疸があるので、胆汁を外に出す手術はしたほうがいいでしょう」と説得し、胆嚢から胆汁を外に流す管を入れる手術を受けたのでした。

術後、敏行さんは緩和ケア外来にも定期的に通って来るようになりました。体調が安定していたため、胆汁を外に出す袋をつけて長年鍛えたスキーもやっています。「転んでぐるんぐるん何回転もした」と外来で楽しそうに報告されるのを聞いて、大丈夫かなとヒヤヒヤしたりもしました。

敏行さんと泉さんの共通の趣味の一つに、社交ダンスがありました。以前からダンスパーティーなどがあると、必ず二人仲よく参加していたそうです。

「仲がいいからって、一緒にがんにならなくてもいいのにねえ」

夫妻はそういって、笑っていました。しばらくの間は、敏行さんの定期的なチェックと診察が、緩和ケア外来での主な関わりでした。

ところが、泉さんのがんが再発し、急に具合が悪くなってきました。しばらく治療を続けてみましたが病気の勢いには逆らえず、体力が落ちて腹水も溜まるようになり、一般病棟に入院。その後、緩和ケア病棟に移ってきました。

泉さんは、がんと診断された段階で「緩和ケアで看取ってほしい」と自らいってきた人です。手術をして一度は元気になったとはいえ、覚悟されていた部分はあったように思います。

緩和ケア病棟に入院してからも、泉さんは穏やかな笑顔をたたえた明るい患者さんで、周りの人にも常に笑顔がありました。体のつらさはあったと思いますが、敏行さんや娘さんたちが入れ替わり立ち替わりやって来て「最期はこんなふうにしたい」「これもやりたいね」と、いつもにぎやかに話をしていました。

最後のダンス

「ダンスパーティーにもう一度参加したいね」

病室での会話の中から、そんな話も出てきました。

二人はダンスパーティーに一緒に出席するため、踊りの練習や衣裳の準備を前から進めていました。しかし、泉さんが入院したため、仲間とのダンスパーティーに一人で参加することになったのを、ご主人の敏行さんはとても残念に思っていたのです。泉さんの体調を考えると、ダンスパーティーに出かけるというのは、無理な状態でした。

するると、鎌田先生がいいました。

「じゃあ、うちの病院でダンスパーティーをすればいいんじゃない？」

こういう柔軟な発想は、鎌田先生の得意技です。病棟のスタッフみんなは、ちょっとだけ「こりゃ大変だ」と思いながらも、会場係兼見物客となることを二つ返事で引き受けました。

泉さんの体調はダンスができるかできないかぎりぎりの状態でしたが、スタッフが二人の希望を聞きながら、パーティー実現のためにできるだけのサポートをして、いよいよその日を迎えました。

腹水が溜まっておなかが大きくなっていた泉さんは、「ドレスのファスナーが上がらなくて恥ずかしいわ」といっていましたが、前日うまい具合に腹水を抜くことができて、ドレスにすっと体が入りました。

「ああ、よかったぁ」

そういって笑う泉さんに、空色のロングドレスがとても似合っていました。パーティー会場は、病院の小さなホール。お客さんは、ご家族や病院のスタッフ。飾りつけがされ、取材も入って、華やかな雰囲気です。敏行さんは燕尾服の正装でビシッと決め、泉さんをエスコートしました。そして、用意したカセットテープの音楽に乗せてダンスを踊りました。

病室からは車椅子でホールまで出てきた泉さんでしたが、立ち上がって数分間のダンスを見事に踊りきりました。ホールには温かな拍手が広がります。敏行さんはしっかり泉さんをサポートして、踊りきったように見えました。

ところが、あとからこっそり泉さんが教えてくれたところによると、敏行さんはこのとき、持病のめまい発作が起きていました。そのことは隠してダンスに臨みましたが、泉さんは手を握った瞬間に異変に気づいて「こりゃダメだ」と思ったそうです。どちらかというと、泉さんが敏行さんを支えなきゃという気持ちだった、と話してくれました。

そのとき撮影した記念写真では、誰よりも華やかな笑顔で泉さんが中心に写っています。2週間後、泉さんは敏行さんや娘さんに見守られながら、静かに病室で亡くなりました。

もう一度踊りたい

泉さんを見送ったのち、敏行さんは定期的に緩和ケア外来に通院していました。相変わらずアクティブで、仕事の大半は娘さん夫婦に任せて、体力に合わせて人生を楽しんでいました。このままの状態が続いてほしいと思いましたが、泉さんが亡くなって1年後くらいから、体力の低下が目立つようになってきました。

病状も進んでいよいよ具合が悪くなり、腹水も溜まるようになってきたある日、「入院させてください」と本人から電話がありました。そろそろかなと思っていたので、入院できるように準備を整えて、緩和ケア病棟に入院してもらいました。

黄疸がだいぶ強くなっていました。最初に診察したときも黄疸がありましたが、胆汁を腸に流す管が詰まっていたので、胆汁を外に逃がす手術でそのときは解消できました。今回も同じような治療ができないかと検査しましたが、前回と違って肝臓全体の力が少なくなったための黄疸で、治療の方法はありませんでした。

肝臓というのは、全身の細胞が使うエネルギー源の出し入れを一手に担っている内臓です。その力が少なくなっているので、日常生活を送るにも常に燃料不足のような状態になります。敏行さんはそのような体の状態を理解し、必要なときにはスタッフの助けを借りながら上手に自分の体とつきあっていました。

ある日、彼はいいました。

「みんなの前で、もう一度踊りたい」

もちろん、私も病院スタッフも大賛成です。いつもパートナーだった泉さんはいないので、敏行さんの妹さんがダンスパートナーとなり、今度は病棟のラウンジで小さなダンスショーが開かれました。背筋の伸びた粋な紳士ぶりは変わらず、観客がため息をつきながら見惚れるほどでした。

振り返ってみると、立っているのも大変なくらいに体力は低下していたのではないかと思います。でも敏行さんは、そんな体を熟知してコントロールし、大変な素振りを見せずに最後のダンスを踊りきりました。

そして1週間後。体一つで予定していた引っ越しをするように、最愛の妻、泉さんの待つ場所へと旅立っていったのです。

夫婦でのがんは増えていく

夫婦で明るく仲よく過ごす

このご夫婦はそれぞれに、がんになった当初から緩和ケアで看取ってほしいという気持ちを持っていました。そのあとは、手術をして再び元気になった時期があり、揺れたり悩んだりしながらも病気とつきあってこられました。

病気、特にがんになると、気持ちまで病気になってしまう人も少なくありません。夫婦でがんになったら、二人とも暗く鬱っぽくなってしまう可能性だってあるのに、このお二人は前向きに病気を受け止め、「常に明るく過ごそう」として、その気持ちを家族や周囲と共有できていました。

また、二人とも、やりたいことがはっきりしていました。

ご家族と一緒に会議を開き、「ダンスパーティーをしたい」という願いを叶えることができたのは、本人たちの明るい姿勢があってこそ。その希望を、体の状況や人生のタイムスケジュールと照らし合わせて適切に修正しながら、よいタイミングで実現させていくのは、私たち医療従事者の仕事です。

ご夫婦二人とも緩和ケアで看取るのは、10年前は珍しいことでした。しかし、いまは私の病院でも増えていて、すでに何組も看取っています。高齢になるとさまざまな病気が増えるので、当然がんも増えていきます。決して珍しい病気ではなくなり、今後こういうパターンは急増していくでしょう。

そのときどうやって夫婦で病気と向き合っていくか、志賀さん夫婦の生き方には学ぶところが多くあります。

コラム③　介護福祉士の役割

「本人と家族の気持ちに寄り添うのも私たちの仕事です」

デイケアセンター愛和
介護福祉士・相談員　栗原美也子さん

通所リハビリテーションとは

私の所属するデイケアセンターは、通所リハビリテーションの施設。

通所リハビリテーションとは、理学療法士や作業療法士など専門職員によるリハビリを通じて、心身機能の維持や回復をはかり、自立支援を助けることを目的とした介護サービスのことです。

介護保険の通所施設としてはデイサービスもありますが、デイケアはリハビリが大きな目的になっています。

ここでは医師の指導のもと、一人ひとりに合わせた計画を立て、評価をしながら進んでいきます。リハビリ計画がおおむね達成したことを本人と家族が納得したら、卒業という形を取るケースもあります。

私はデイケアセンター愛和に勤めるようになって3年の経験を積んだあと、介護福祉士の国家資格を取得し、その後もこのセンターで働いてきました。現在は、相談員の仕事もしています。

私たち介護福祉士の仕事は、排泄介助、入浴介助、食事介助のほか、その人にできない生活面や身体面の難しいところを介助することです。実際にリハビリを担当するのは理学療法士や作業療法士ですが、私たちもリハビリのサポートをしながら、在宅生活を支援していきます。

本人の望むことは何か

現在私は、退院時カンファレンスや、在宅で介護サービスを開始するときの会議にも参加しています。そのときいちばん感じるのは、ご本人が何を望んでいるか、どうなりたいかという思いです。

例えば、愛和病院に入院中にリハビリをし、退院されたあと、デイケアに通われた方がいました。入院中から「歩いて自宅のトイレに行く」ことを目標にリハビリに取り組まれ、自宅に戻られてからも、リハビリを継続しながら生活されています。

本人には本人の思いがあって一生懸命リハビリをしているので、私たちとしては尊重してあげたい。さまざまな職種のスタッフとチームワークを取りながら、ご家族と本人の間に立って話をしていくのも、私たちの務めです。

いろいろな思いから内にこもって黙っている人もたくさんいるので、気持ちを吐き出してもらえたら少しは楽になると思います。

さまざまな話し合いのときに、ご本人が「こうなりたい」という希望があれば、その気持ちにできるだけ近づけるようなお手伝いをしたい。元気になってもらえるよう、本人と家族の気持ちに今後も寄り添っていければと思います。

第4章

さまざまな、人生をしまう話し合い

ケース 11

さまざまな、
人生をしまう話し合い

認知症一人暮らしの
在宅看取り

昭和、平成をたくましく生きて

小笠原智恵子さん（84歳）は一人暮らし。軽い認知症がありましたが、介護サービスや近くに住む娘さんの助けを得て、以前と変わらない暮らしをしていました。ところが最近がんが見つかって、私が往診に通うようになりました。

本人は、いままでも一人で暮らしてきたし、「病気が進んでも、なるべく家で過ごしたい」という希望を持っています。初めて会ったころはまだ元気で、自分のことはほとんど自分でできる状態でした。

彼女の認知症は、話が普通に通じるときもあれば、そうでないときもある。いわゆるまだら認知症の状態です。

調子が悪いとき、なぜかいつも小笠原さんの話には大家さんが出てきます。どんな大家さんなんだろう、会ってみたいと思いましたが、いまの家は持ち家なので、大家さんはいないのです。あれはどこか別世界の話か、若いころの話だったのでしょうか。

そうかと思えば、ずいぶんしっかりとした様子で「延命治療はしたくない」とか「この先、何をしたい」など、先のことまで語ってくれる日もありました。普段から考えていることなのか、昔考えていたことなのかはわかりませんが、そういう日には向き合って話し合うことができました。

私は、高齢者の往診に行くと必ずすることがあります。それは、昔の話を聞き出すこと。その人がどんな人生を歩んで来たか聞かせてもらうのは楽しいし、相手と仲よくなるには、いちばんの近道だからです。

ついつい話し込んで、訪問先に長居してしまうこともしばしば。小笠原さんにも、いろいろな話を聞かせてもらいました。

「小笠原さんは、この町で生まれたんですか？」

「いや、岡山だぁ」

「それはずいぶん遠くですねぇ」

認知症であってもたいていの人が昔のことなら思い出せるし、語り口が滑らかになります。彼女はいいました。

「瀬戸内海のあったかいところで生まれたのに、流れ流れて長野まで。東京で働いていたこともあったんだよ」

なんと若いころはさまざまな土地の工事現場で、バリバリ肉体労働をしていたそう。日本の高度経済成長期を支えた人たちの中に、彼女のような女性の存在もあったのです。病気になってわからないことが増えても、できる限り一人暮らしを続けようとする頼もしさは、そういうところからきていたのかと納得しました。

しかし、認知症が少しずつ進んで体調もよくない日が続くようになり、自身の生活に不安を感じ始めているようでした。

言葉は思いの裏返し

小笠原さんの娘さんは、同居はしていませんが同じ町内に住んでいます。子育てもすっかり終わった年齢なので、仕事をしながらたびたびお母さんの様子を見に来ていました。

症状があまり進んでしまわないうちに、いろいろな話をしたほうがよいと思い、ある日3人で話し合いをしました。

「小笠原さん、これから病気がどう進んでいくかわからないけど、ずっと家にいたい？」

うーん、と考えた末に、彼女はいいました。

「いろんなことがわからなくなって、どうしようもない行動をするようになったら、迷惑がかかるね。そのときは、施設や病院に入ってもいいよ」

自分が認知症であることもわかっていての発言です。娘さんはそれを聞いて、あと
から私にいいました。
「母は、以前も私が聞いたとき『施設や病院に入れてもいいよ』と同じことをいった
んです。この先どうすればいいだろうと悩んでいたので、本人にそういわれて気が楽
になりました。でも、逆に思ったんですよ。母があんなふうにいうってことは、最期
まで家にいたいという気持ちの裏返しなんだろうなって」

そこで、できるだけ家で過ごせるようにと話し合い、自宅での介護環境を整えてい
きました。認知症の人は環境の変化に弱いので、できるだけいままでと変わらない生
活をすることが、介護のポイントの一つです。

関わる人はいつも同じメンバーにし、新しい人はなるべく入れないことにしました。
訪問する時間帯も毎回変えないようにします。こちらの行動パターンを決めることで、
本人が「これは前に経験したことがある」と思えたら、自宅に一人でいても気持ちが
安定します。

認知症の人が異常な行動を起こしてしまう原因には、慣れない物事に混乱してパニ

ックになるということがあります。

小笠原さんの認知症は徐々に進んでそれなりに問題もありましたが、なるべく環境の変化がないように早くから家で看る環境を整えたことが功を奏し、周囲も落ち着いて、一人暮らしを見守ることができました。

突然の介入

ある日、「呼吸が弱くなってきた」という連絡がありました。家に行ってみると、何人かがベッドの周りに集まっています。小笠原さんには、まだ意識がありました。

「ああ、来てくれた」

誰が来たかわかっていたのかは不明ですが、彼女と握手を交わしながらいいました。

「いよいよお迎えが近くなってきたね。最期まで家にいられると思うからね」

私の声を聞いて安心したのか、小笠原さんは目を閉じました。ところが、そこにいた70歳くらいの男性が声を上げて怒り出したのです。

「何いってんだ！　こんな状態なんだから、早く病院に連れて行かなきゃダメだろう」

「えっ?」

それまで小笠原さんや娘さんとは「最期まで家にいられるならがんばりましょう」と話してきました。入院はいつでもできるようにしていましたが、それは本人が望むことではありません。やり取りを聞いていた娘さんは、あわてて部屋から男性を連れ出してなだめ、その場はおさまりました。

次に呼ばれたのは、息が止まったときでした。家に入ると、先ほどの男性がいました。

「いやあ、さっきはあわてたもので、大きな声を出してすまなかったね」

さて、この人はどういう関係なのだろう? と思って聞いたら親族ですらなく、近所に住むおじさんでした。一人暮らしの小笠原さんを、あれこれと親切に見守っていた人だったのです。

「病気もあったけれど、最期まで穏やかに家で過ごせて本当によかったね」

その男性も含め、集まったみんなで話すことができました。

小笠原さんは1年あまり在宅介護が続き、認知症とがんによる意識障害で亡くなりました。最後は、娘さんがほとんど実家に住み込んでいる状態でしたが、「施設や病院に入ることも視野に入れたことで、結果的にがんばることができた。母の希望を叶えられてよかった」と、すがすがしい看取りでした。

人生をしまうための話し合い

認知症の場合

認知症が進んでしまう前に

認知症で独居でも、症状の軽い時期に本人の希望をちゃんと聞いておけば、できるだけ希望に沿った最期を迎えられることを証明してくれたのが、小笠原さんでした。

認知症は、加齢とは切り離せない病気です。

2015年には全国で認知症患者数が約520万人となり、団塊世代がすべて75歳以上になる2025年には730万人、高齢者人口の約5人に1人が認知症になるという推計も出ています。スピードを上げて超高齢社会へと突き進んでいる日本では、認知症は誰もが他人事とはいえなくなっています。

認知症が進んでしまうと、話し合いをしたくても成立しなくなります。なるべく早い段階で周囲が気づき、わからなくなってしまう前に話し合っておく必要があります。

とはいえ、認知症の初期段階では不安や怯えがあったり、病を受け入れられず苛立ったりしている人も多くいます。話し合いをするための声のかけ方にも、優しさが必要です。

「この先、もしいろんなことがわからなくなったときにも、お父さんの意思を尊重したいから話をしよう」

「この先の人生が残念な展開にならないよう、考えておかない？」

などと声をかけて、話し合いを始めるといいでしょう。また、人によっては、自分の記憶力などに不安を感じて、自ら切り出す場合もあります。

「本格的にボケてしまう前に、家のことや自分のことについて話し合っておきたい」

いずれにせよ、なるべく早く、必要な人が集まって話し合う時間を持ってください。

認知症はいつどこまで進むか、どんな状態になっていくか予測がつきにくい病気です。本人に自宅で過ごしたいという希望があっても、どうしようもないときは施設や病院もＯＫというオプション設定を持っていたほうが、安心です。

また、どこで過ごしたいか、延命治療はどうするかのほかにも、認知症の場合は財産についても問題になることがあります。成年後見人が必要な場合は誰に依頼するかなども含めて、話し合っておきましょう。

認知症は環境の変化に弱い

小笠原さんの介護は環境を変えない工夫をし、訪問看護師やヘルパーなども極力同じ人にして、訪問時間も変えないようにしました。認知症の人は環境の変化に弱く、いつもと違うと混乱してしまうからです。

前もって話し合い納得していたように見えても、実際に変化が起きたときには話し合った内容を忘れていることもよくあります。すると、なぜこんな状況に置かれているのかわからなくなり、自分の存在が蔑ろにされたと怒りが爆発してしまう。たとえば、私の患者さんではこんなことがありました。

認知症、糖尿病、がんの再発などさまざまな病気が重なっていたその女性は、旦那さんが先に亡くなり子どももいなかったため、話し合ってグループホームに入居しました。しかし、その日から3日間怒りが止まらなくなりました。

「こんなところに閉じ込めやがって！」

話し合ったことはすっかり忘れ、物を投げるわ、口汚く罵るわ、穏やかだった以前のその人とは別人のような状況になってしまったのです。すべての人にこういう症状が出るわけではありませんが、感情のコントロールができず、暴言や暴力が出てしまうのも、認知症の症状です。

環境の変化とさまざまな制限で不安や混乱が起きていると思い、とにかくグループホームに慣れてもらうことに心を砕きました。糖尿病で食事制限があったのですが「おかわりしてもいいですよ」と満足できるだけ食べてもらい、「誰かと一緒なら外出して買い物に行っていいですよ」と規制をゆるめました。

すると、あっという間にもとの穏やかさを取り戻し、施設のスタッフとも仲よくなって、ニコニコして過ごすようになったのです。

いまの医療や介護は、「入院はなるべく短期で」と早く退院させ、施設にも長期滞在はできず、さまざまな場所に回されてしまうケースがたくさんあります。これは、認知症の人にとっては最悪の状況なだけではなく、受け入れる病院や施設にも大きな負担になります。

認知症の人が環境の変化に弱いことを理解し、どうすれば安心して暮らすことができるのか、社会全体で考えていくときが来ていると思います。高齢化が進んだいま、自分自身や家族に、いつこのようなことが起こるか誰にもわかりません。

小笠原さんのように一人暮らしで認知症になる人も、今後は増えていくでしょう。本人の状態にもよりますが、できるだけオープンにして周囲の助けを得ることができれば、住み慣れた家での暮らしを続けることも可能だと思います。

人生をしまうための話し合い

知らない人が口を出すとき

周りの人も納得できるように

小笠原さんを看取る少し前、突然現れて声を荒げた近所のおじさん。このときは近所の人でしたが、いろいろな事例を見ていると、遠方に住む親戚が現れて口を出すこともよくあります。

小笠原さんの場合は家族と話し合いをしていたので説得してもらうことができましたが、できていない場合はなだめる人がいなくて、ますます混乱が生じるでしょう。たとえば、突然おじいちゃんが倒れて病院に運ばれ、医師からは回復の見込みがないといわれたとします。

「おじいちゃん、延命治療は嫌だといっていたよね」

「それはおじいちゃんが望んでいることじゃない」

一緒に暮らす家族は意見が一致していましたが、そこに長年会ったことのなかったおじいちゃんの弟が現れました。

「何をいっているんだ、助けてやらなきゃかわいそうじゃないか」

といわれたとしたら、どうなるでしょうか。年長者や、力を持つ人、声の大きな人のほうへと、意見は引きずられやすくなります。

そうならないためにも、本人とよく話し合っておくことが必要なのです。命に関わる決断は重いもの。周囲の人に理解を得るためにもよく話し合って、記録も取っておきましょう。

ケース12

さまざまな、
人生をしまう話し合い

退院時共同指導を人生に生かす

繰り返す誤嚥性肺炎

山極達雄さん（86歳）は、誤嚥性肺炎の治療で近くの大きな病院に入院していました。誤嚥性肺炎というのは、唾液や飲み込んだものの一部が菌と一緒に気管に入って生じる肺炎で、高齢者に多い病気です。

治療をしてかなり回復し、退院したあとの訪問診療を依頼されました。私は通常がんの患者さんだけを引き受けていますが、以前私が奥さんを看取ったつながりもあって「ぜひに」と頼まれ、引き受けることにしました。

山極さんが誤嚥性肺炎で入院するのは、今回で4回目です。いずれも治療をして退院できる状態に回復したのですが、今回の入院はいろいろな点でそれまでと違っていました。

まず違うのは、入院したときの状況です。

過去3回は熱と咳が出て「具合が悪いから病院に連れて行ってくれ」と本人がいって入院しました。しかし今回は、はっきりした熱や咳が出ないのに、ぐったりして意識もボーッとしていたので、家族が救急車を呼んで入院になりました。

治療の経過も、前回までは治療を始めるとすぐに回復に向かっていましたが、今回は調子がよくなるのにも、その後の回復にも、時間がかかりました。

体力の低下も、明らかでした。入院前は杖や手すりに頼らずに歩けていましたが、現時点では「移動には車椅子が必要」と判断されて、再び歩けるようになるためのリハビリテーションを進めているところでした。

また、再び誤嚥しないための嚥下リハビリテーションもしていました。昔だったらこういう人はもう少し回復するまで入院できましたが、いまの日本の医療制度では、治療をする急性期病院に長くは入院できません。

山極さんの家は古い大きな民家で、奥さんはすでに亡くなられ、息子さん家族と一緒に5人で暮らしていました。入院前は杖なしで歩けていて、庭仕事をする元気もありました。しかし今回は、これまでのような生活がすぐにはできそうにありません。

入院前には、ほかの家族は仕事や学校に行くため、日中は一人で過ごすことがほとんどでした。

一人で近くの店に買い物に行くこともありましたが、いまの体力だと家の中でも転んでしまう危険があり、一人にしておくのは心配な状態。でも家族は、何となくこれまでと同じように過ごせるのではないかと思っていました。このまま退院したら、いろいろ困ったことが起きそうです。

状況の変化に合わせた準備

そこで、状況の変化に合わせて、家で過ごすために必要な態勢を整えることにしました。

まずは、介護保険の手続き。これまで山極さんは介護保険サービスを使ったことがなかったのですが、いまの状態だとベッドやポータブルトイレなどの介護用品、手すりをつけるなどの住宅改修、デイサービスなど、介護サービスがあったほうがよさそうです。そこで、病院のソーシャルワーカーが速やかに動いて、介護認定調査が行われました。

並行して、家に帰ったときにどのように介護サービスを組み合わせて支えるかという「ケアプラン」の作成が始まりました。

以前、奥さんのケアプランを立ててくれたケアマネジャーが、今回も引き受けてくれました。家のことや家族構成などもわかっているので、山極さんの体の状態やリハビリの進み具合などの情報を集めて、いろいろなノウハウも織り交ぜてケアプランを立ててくれました。

介護認定調査の結果が出るまでには多少時間がかかりますが、だいたいどれくらいの介護度になるかを予想してプランを立てました。介護保険は認定結果が出たら申請の日までさかのぼって給付されるので、いまの状態であれば、「要介護2」以上の判定は出るだろうと踏んで、計画を立てていきます。

そして、いよいよ退院が近くなった日に「退院時共同指導」という会議を開くことになり、私もその病院に行きました。退院時共同指導は「退院前カンファレンス」などとも呼ばれ、退院後の生活がスムーズにいくように、病院医療と在宅医療や在宅介護・生活をつなぐための会議です。

その日集まったのは、入院している病棟の担当看護師、病院の医療福祉相談員、理学療法士（リハビリスタッフ）、ケアマネジャー、訪問診療する私、訪問看護ステーションの看護師、訪問リハビリスタッフ、ヘルパーステーションのヘルパー、福祉用具の相談員、忙しくて途中から参加した病院の主治医。それに山極さん本人と息子さん夫婦、総勢13人の大会議です。

本人や家族に会う前に、ケアを提供する医療スタッフと介護スタッフだけで最初に情報を共有しました。

ここでは、医療と介護が一体となって「山極達雄さんチーム」を作ってケアに当たります。認識が不足していたりズレていたりするとケアがスムーズにできなくなり、山極さんやご家族に迷惑をかけたり、信頼してもらえなくなったりするからです。

介護保険の判定は「要介護2」または「3」が出そうだという見込みでしたが、「要介護3」でプランを組むと、結果が「2」だったときに、はみ出した分が自己負担になってしまいます。そこで、ケアマネジャーは「2」の範囲に収まるよう、プランを立ててくれました。

週2日のデイサービスと週1回の訪問リハビリ、電動ベッドの設置などを予定し、曜日が偏らないように訪問看護と訪問診療が入るように予定を立てていきました。

本音で話し合う

ひと通りの情報やケアプランを共有したあとで、本人と息子さん夫婦に加わってもらいました。息子さんが押す車椅子で入ってきた山極さんは、人が大勢いるせいかちょっと不安そうな顔に見えましたが、奥さんのときに頻繁に顔を合わせていた私やケアマネジャーを見てすぐに笑顔になり「よろしくお願いします」と挨拶されました。

今日の退院時共同指導の司会は、本人と顔なじみのケアマネジャーにしてもらうことにしました。はじめに、ケアマネジャーが口火を切ります。

「今回退院するに当たって、入院前よりちょっと余分に年を取ったように思うので、その状況でも心配なく気持ちよく過ごせるように、みんなで作戦会議をしていました。ここからは、山極さんご本人とご家族にも加わっていただいて、より具体的に考えて安心できる計画を立てたいと思っています」

続いて、どういう人が集まっているのか、一人ひとり自己紹介をしました。いろいろな人が支えてくれるのを知って家に帰る気持ちが強まったのか、山極さんは急にいきいきと「トイレはどうするか」「風呂はどうすればいいか」「リハビリは続けられるのか」「もうちょっと元気になったら庭いじりをできるか」など、心配なことや希望を次々に話し始めました。

ケアマネジャーを中心にそれぞれの人が、一つひとつ丁寧に答えていきます。ところが、話を続けていくうちに、本人と息子さん夫婦の間で認識や考え方のズレがあることが、だんだんはっきりしてきました。

息子さん夫婦は、体力が低下した状態ということは理解していますが、「具合が悪くなったら、また入院すればいい」と考えているようです。

一方で、本人は「もう一度元気になりたい」「でも、今回と同じような感じで具合が悪くなったら、できたら入院したくない。次に具合が悪くなったときには、寿命と思って家で死にたい」と、より具体的に考えていることがわかりました。

突然本音を聞かされた息子さんは、「具合が悪くなったら病院じゃダメなの？」と驚いたように聞きます。山極さんはそれに対して、次のように答えました。

「今回入院して、入院したときのことは覚えてねえけど、病院のベッドで目が覚めたときにこのまま死ぬのかなあ、ここじゃなくて家で死にてえなあ、それなら入院しなきゃよかったのかなあと思ったんだ。だから、今度具合が悪くなったら、救急車呼ばないでくれ」

家で具合が悪くなったときにどうするかは、退院時共同指導で話し合っておきたい大事な項目です。

ただし、これから体力がさらに低下していくのか、もう一度元気になっていくのかがはっきりしない状況で方針を決めてしまうと、やったほうがいい治療まであきらめてしまったり、逆に無理な治療をすることになったりしがちです。

そこで、私は次のように提案しました。

「まだ治療やリハビリをしている最中なので、これからどんなふうになるかはわかりません。ただ、山極さん本人が、最期は家で迎えたいという気持ちでいることはわかりました。無理でなければ、それを支えるようにしていきたいと思います。そのために、訪問看護と私の訪問診療でこまめに体の状態を見ていきますね。病院に行くかどうかの判断も、具合が悪くなったらまず私たちに連絡してもらって一緒に考える、という方針でどうでしょうか？」

「そうですね。そうしていただけると安心です」

息子さん夫婦も、ホッとしたような顔をされました。

退院後の約束

それから4日後、山極さんは退院して家に帰りました。

今回の入院ではかなり具合が悪かったので、回復は難しいかと思っていました。しかし、家に帰ってからは、訪問リハビリスタッフと毎日の日課を決めて着実にリハビりを重ね、体力も予想していたより急速に回復し、家族に聞くと「入院する前よりしっかりしてきた感じ」といいます。

退院直後は毎週訪問診療に行き、訪問看護も週2回入っていましたが、体力的に余裕が出てきたのでそれぞれ半分くらいずつに減らしました。いまのところ、それでよさそうです。

退院時共同指導のときには、「デイサービスは、お遊戯みたいで気が進まない」なんていっていましたが、行ってみると思いのほか楽しかったようです。

「風呂が気持ちよくてなあ」「行ってみたら、幼なじみがいてな。話をすると、若いころの気分を思い出す」「若い人が俺の話を面白がって聞いてくれるもんだから、ついいろいろ、いわなくてもいいことまで話しちゃって」と、訪問するたびに楽しそうに報告してくれます。

いまのところ快調に過ごしている山極さんですが、ときどき私に確認します。

「先生、次に具合が悪くなったときはスッと天国に行きたいから、延命治療はやらないでくれな。頼むよ」

それに対して、私はこう答えました。

「ただ何もしないで苦しんでいるのを見るのは家族もつらいでしょうから、家で簡単にできる治療とか、苦しさを取るための治療はやらせてほしい。こりゃ向こうの世界からお迎えが来てるな、と思ったら、引き止めないことだけは約束するから」

「うん、それでいいよ」

山極さんは満足そうです。

「そんなふうに考えているって、息子さんたちにはいってありますか?」

「実は昨日、息子だけじゃなくて、孫たちも全員集めてその話をした。孫娘は急に泣き出しちゃったけど、しょうがねえやな。俺もこの年だから、ある程度は覚悟しておいてもらわねえと。だけど、今朝もいつもと同じ明るい声で、『行ってきまーす』っていって出かけていったから、大丈夫なんじゃねえかな」

プロの力を活用する

山極さんは4回目の入院で、これまでより格段に具合が悪い状態になったので、退院に当たって退院時共同指導という会議を開くことになりました。

医療・介護従事者が一堂に集まるのは理想的ですが、時間を合わせて一ヶ所に集合するのはなかなか難しく、十分な人数が集まれなかったり、文書だけで情報をやり取りすることも少なくありません。

ただ、顔を合わせたことがある関係というのは、文書だけでつながっている関係よりはずっと連携が取りやすいということを、たびたび実感します。

今回も途中からの参加でしたが、病院の主治医と会うことができ、緊急時の対応などが話せて、以後の在宅診療がとてもやりやすくなりました。

せっかくみんなで集まるのですから、事務的にコンパクトな会議で済ませることを目標にせず、多少時間が延びたとしてもお互いの本音を引き出して調整し、これからの時間をよりよいものにする機会にできればいいと思います。

本音のぶつかり合いになることもあるかもしれませんが、その時間内に結論が出なくても、これから何を考えていけばいいかは共有できます。続きは退院してからでもできるのです。

退院時共同指導に集まるのは、人生の終盤に向き合うプロの人たちです。いろいろな経験、知識、知恵が集まっているので、よりよい人生の締めくくりをするために、この人たちの力を活用しないのは損だと思います。

ケース13

さまざまな、人生をしまう話し合い

88歳の夫を、84歳の妻が自宅で看取る

「決めない」という結論

菊地正夫さん（88歳）は、妻の美佐子さん（84歳）との二人暮らしでした。正夫さんががんと診断され、治療を続けてきましたが、効果が見られなくなって中止。体力的に通院が難しいので、訪問診療と訪問看護で看ていく方針となりました。

訪問診療に移行するにあたり、最後の外来診察で私は次のようにお話ししました。

「がんの治療は、これ以上続けても効果よりも副作用のほうが上回る状況になってきているので、中止するのが理にかなっていると思います。ただ、これまでの治療で病気は抑えられているので、命に関わるまでには時間がありそうです。

これから先の経過ですが、菊地さんは男性の平均寿命をだいぶ超えているので、病気で具合が悪くなるよりも、寿命が近づいて老衰のような感じになる可能性が高いと考えています。そうなってきたときに、家で過ごしたいとか、病院がいいとか、菊地さんご自身のご希望はありますか？」

すると、正夫さんは答えました。

「家にいられりゃいいと思うけれど、そのときどうなってるかわかんねえから、決められねえなあ」

とっさに意見を迫られると、「家がいい」とか「最期は病院で」などと答えてしまいがちですが、「どうなるかわからない」と答えられるのは、ある程度具体的にそのときのことを考えられている証拠だと、私は受け止めました。

月2回のペースで訪問診療を始め、訪問看護や介護を組み合わせて夫婦二人でも無理なく不安なく過ごせるように配慮しました。しばらくは安定していましたが、あるときがんとは関係なく心不全になり、動いたときの息苦しさが大変強くなりました。

一定以上の年齢になると、いくつかの病気が同時に現れることは珍しくありません。飲み薬に工夫を加えることで、菊地さんの状況は何とか持ち直しました。その状態を保つよう、少しずつでも体調が上向きになるようにと薬の調節を続けましたが、こちらの願いとは逆に、少しずつ余裕がなくなってきました。

ある日、私はいいました。

「ここから先は、入院したいと思ったらいつでも入院していいですよ」

「そういってもらえると、ありがたいなあ」

正夫さんは、いいました。家で過ごしたい気持ちは強いけれど、介護をする美佐子さんも高齢なので、負担がかかりすぎると共倒れになってしまいます。こんな状況ではどちらとも決めかねるのは当然で、家も病院もどちらも選べるといわれたことで、気持ちがずいぶん楽になったようです。

その後も、症状は一進一退が続いていました。

「今日はどんな感じですか。少しは楽になりました？」

「楽じゃないね。やっぱり苦しいなあ」

「入院しますか？」

「いや、まだ家で大丈夫だ」

正夫さんと私は、訪問診療のたびにこんな会話を繰り返しました。家で酸素吸入をできるようにし、息苦しさを和らげる薬も出しましたが、それでも調子は悪そうでした。美佐子さんに話を聞くと、こういいました。

「本人と昨日も話してみたんですけど、家がいいといっているので、もう少しがんばります」

彼女の忍耐強さとしっかりした夫婦の絆を感じ、二人の話し合いに沿って支えていく方針を改めて確認しました。その後も「入院しますか？」「まだ大丈夫」という会話は、何度か続きました。

若者は広い道を、高齢者は平均台の上を歩く

ある日のこと、正夫さんの意識がずいぶん低下して昏睡に近づいているように見えました。それでも、イエスかノーかで質問すると的確な返事が返ってきます。頭ではちゃんと判断できていますが、表現するのに力が不足しているようです。

「入院はどうしますか?」

私は、いつもと同じように聞きました。

「いや、いい」

正夫さんは首を少し横に振り、拒絶しました。最期は病院になるかと思っていましたが、これは強い気持ちで家にいたいのだと思い、美佐子さんにいいました。

「かなり力は弱くなっていますが、いまのところ病院に入らないとできないことはありません。奥さんが大丈夫で、家に居続けられればそれがいいと思います。

ただ年齢も年齢なので、いつどうなるかわかりません。若いときは幅の広い道を走っているようなもので、多少の揺れがあっても道から外れて命を落とすことはない。でも、年を取ってくるとだんだん道が細くなってきて、いまの正夫さんは平均台の上

を歩いている感じです。最大限うまくいっても、道がもっと細くなり息が続かなくなることもあります。そういうときは救急車を呼ばず、訪問看護のスタッフと私に連絡してくださいね。24時間対応していますから」

「私は休み休みやっているから、まだ大丈夫です。やっぱり、もうそういう状態になっているんですね」

美佐子さんは寂しそうでしたが、納得し、覚悟もしていました。その数日後、明け方に美佐子さんから連絡がありました。

「息が止まりました」

静かに正夫さんは旅立っていきました。前もってそのときのことを話していたので、美佐子さんは取り乱すことなく、離れて住んでいる家族と訪問看護師と私を呼んで、落ち着いて看取っておられました。

自宅での看取りにはかかりつけ医が必要

あわてて救急車を呼ばないこと

菊地さん夫婦は高齢の二人暮らしでしたが、自宅で最期を迎えたいという正夫さんを、妻の美佐子さんがしっかりと看取りました。不安なことや大変なことはいろいろあったと思いますが、あわてず騒がず、静かに一人で最期を見届けた美佐子さんは、立派だったと思います。

私は緩和ケア医として訪問診療をしているので、多くの人を自宅で看取り、その家族をサポートしてきました。24時間体制で対応している訪問看護ステーションも、力強い存在です。しかし、誰もが同じような環境を用意されているわけではありません。

家で最期を迎えたいなら、準備しておくべきことがあります。それは、訪問してくれるかかりつけ医を持つことです。かかりつけ医がいないと救急車を呼ぶことになりますが、すでに亡くなっている場合は救急隊が運んでくれないことも多く、そうなると、警察が呼ばれて検視が行われます。事件性がないことを確認するために、家族全員が事情聴取を受けることになります。

通院している人は、その医師が訪問もしているかどうか、していなければ通院が難しくなったときに紹介してもらえる訪問医がいるかどうか、聞いておきましょう。介護を受けている人なら、介護保険の意見書を書いてくれた医師がいるはずです。

その医師に「家で死んだら確認に来てくれますか?」と聞いておくのは、少し勇気が必要ですが、大事なことです。これも、人生をしまう話し合いの一つです。

「いいですよ」といわれたら、家で亡くなったときはその医師を呼びます。そして、死亡確認をし、死亡診断書を発行してもらいます。

外来もやっている医師であれば、その時間はすぐには来てもらえないこともあるでしょう。そういうときには、時間が取れるまで待つことにするなどの了承事項も、お互いに確認しておく必要があります。

菊池さんの場合はギリギリまで本人の意思が確認できましたが、急に意識がなくなってしまうことも考えられます。そういうときにどうするか。

判断の材料は、本人の気持ち、家族の気持ち、体の状況、症状のつらさ、病院に行ったほうがよい治療ができるかどうか、入院の負担など、さまざまなものがあります。何を大事に思うかも、人によってさまざまです。

みんなが納得できるような選択を、その場でしなければなりません。こんなとき、それまで重ねてきた話し合いがものをいいます。

また、急な変化があった場合には、かかりつけ医の判断も重視されます。かかりつけ医がいないと初対面に近い医師の判断に頼ることになり、望んだ選択肢を選べない確率が高くなってしまいます。

最期は自宅で迎えたいのなら、どんな形でもいいのでその思いを伝えておくこと。

訪問してくれるかかりつけ医を見つけておくこと。

救急車を呼ばないと、家族みんなが確認しておくこと。

この三つが、重要です。

コラム④　ヘルパーの役割

「お風呂と食事から、その人の人生が見えてきます」

愛和病院　病棟ヘルパー
大谷ふさ枝さん

何か食べたいものはありますか？

緩和ケア病棟のヘルパーとして、20年ほどこの病院で働いています。

ヘルパーの仕事は、朝の配茶から始まり、朝食介助、入浴介助、交代で髪の毛を乾かしたりシーツを交換したりしたあと、昼の食事、入浴、3時のお茶、夕方の食事と続きます。

つまりヘルパーは、ごはんの介助とお風呂の介助がメインの仕事。その時間は、とても大事です。

「この患者さんは、毎日の食事が摂れなくなってきたな」という状況の変化を、ヘルパーはいちばん先に感じます。

いつも私は、食欲のない方や初めて会う方には、お風呂の介助をしながら「何か食べたいものはありますか?」と聞いています。お風呂は裸になってリラックスできる場所。心がゆるんでしゃべりやすい空気が生まれるからです。

たとえばある患者さんは、「にらせんべい」といいました。にらせんべいは信州のおやつで、小麦粉の中に細かく刻んだにらと味噌を混ぜて、薄く焼いたもの。長野で育った人にとっては、懐かしい味です。

「食べたいな」といわれたら、いま食べていただかないと、その人は一生食べられないかもしれません。

ここは末期がんの患者さんが多い病棟なので、「そのうちね」といっていると、食べる前に亡くなってしまう方もいます。ですから、食べたいものを聞いたときには、できるだけすぐに対応するよう心がけています。

以前は、家に材料があれば作って翌日持ってきたり、病棟のキッチンで作ったり、かき氷が食べたいといわれたときは、病院の道具ですぐに作って届けたこともありました。そうめんをゆでたこともあるし、ボランティアの人がお豆を煮て持ってきてくれたこともあります。

「今度ね」「そのうちね」という言葉は使わない。いわれたことはすぐにやる。それはここで学び、私が心がけていることです。

いまは入院期間が1～3ヶ月の方が多く、おうちに帰られる人もいるので、2日休むとメンバーがずいぶん変わっていたりします。接する時間は短いのですが、その中でできることを考えています。

たとえば、外に買い物に行くのは難しいので、栄養士さんに作ってもらったり、行事食のときにおはぎや豚汁などを作ったり、できる限りやることにしています。

手と傷から話が広がる

お風呂に入ると、飾らないその方の姿が見えます。食べたいものも聞きますが、私がよく見るようにしているのは、手と傷です。

手は、その方の仕事の証だと思います。農家さんはごつごつしていたり、力仕事をしている方は大きな手だったり、「どんな仕事をされていたのですか？」と話が広がっていきます。農家のおばあちゃんから漬物の作り方を教わったこともありました。

傷は「ここどうしたの？」と聞くと、「以前はここの手術をして、ここもして」と話が始まります。必ずみんな、どこかしらに傷がある。病気と闘ってきた証だと思います。それでも、力強く生きていくことができるのだと教わってきました。

いつもは堅い雰囲気の人や、わがままをいわないタイプの人でも、お風呂に入ると饒舌になることがあります。

あるとき、いつも病室で本を読んでいた70代の寡黙な男性に「温泉はよく行かれましたか」と聞くと「ときどき妻と行きましたね」という答えが返ってきました。

そして、トレッキングが好きで奥さまと山歩きをされていたことや、温泉に行ったことを話されたのです。「本当はもっと妻といろいろなところに行きたかったけれど、病気になってしまってね」と。

あとで、奥さまにその話を伝えたら「あら、私にはそんな話は全然しないのに」といって喜ばれました。ご家族には、なるべくこういう会話をお伝えするようにしています。

小さな希望を一つひとつ叶えて

私たちヘルパーがご家族との話し合いに参加することはまずありませんが、たくさんの患者さんやご家族と接してきました。

私が働き始めた20年前は入院期間が1年もの長期にわたる人もいて、家族以上に一緒に過ごす時間が多くありました。

患者さんは私たちのことをよく見ていて「どうしたの、元気ないね」とか、こちらが逆に相談に乗ってもらうことも多く、亡くなるたびにつらい気持ちになりました。

患者さんが「俺はもうダメなんだ」と語ることもあります。「そんなことないですよ」といってしまうと嘘になるので「そうなんですね」とうなずき、「いまは、食べたいものやおいしいものを少しでも食べましょう」と話します。

傷から人生の話を聞いたり、食べられそうなものを用意したり、その人の小さい希望を一つでも多く叶えてあげたいと思っています。

この病院から退院するとき、花束を作ってお見送りするのも、ヘルパーの仕事です。全部の希望は叶えられなかったかもしれませんが、出会えたことに対する感謝の気持ちを込めて、お見送りをします。

多くの患者さんを見送りながら、自分や家族の最期についても考えるようになりました。自分はこうしてほしいとノートに書き、毎年誕生日に更新しています。いつ何があるかわからないし、考えておくに越したことはありません。それができるようになったのも、この病院でたくさんの患者さんから教えてもらったことです。

おわりに

この本には、私が医者になってから30年近くの間に出会った患者さんやご家族の中から、命が終わりに向かっていくときに何が大事か、何が役立つかを教えてくれた人との会話や関わりを、選りすぐって収めました。

読んでいただくとわかるように「本人の言葉を聞かなければ、違った判断をしていたかもしれない」ということや、「この希望を本人から聞かなかったら、叶えることはできなかっただろう」と思うことがたくさんあります。

会話をしないまま本人が意思を表明できない状態になると、周りの人が勝手に推測して、よかれと思ったことをするわけですが、本人の希望に沿っていたかどうかは、誰にもわかりません。

日本の高齢化率（65歳以上の割合）は2018年で28・1パーセントと、2位イタリアの23・3パーセントを大きく引き離して、世界の中でもダントツの1位です。各国が少子高齢化を問題だと考えていますが、日本は世界のトップを走っているのです。高齢化の先には多死社会がやってくるのは必然で、すでに毎年の死亡者数は着実に増加しています。

高齢化に対しては、介護保険などの体制整備で対応してきました。21世紀に入るころにはほとんど見かけなかった介護施設の送迎車両を街で当たり前に見るようになったことからも、日本の社会は大きく変わったと感じます。

これから必要になってくるのは、死とどうやって向き合っていくかです。亡くなっていく本人は、看取る家族や医療・介護従事者は、何をすればいいのかの答えが求められている時代です。

ACP（アドバンス・ケア・プランニング）は、日本では2018年11月に「人生会議」と名づけられました。ACPは世界各国で広がりを見せており、これまでのさまざまな「人生の終末期をよくするための活動」の中でも、着実な成果を生み出しているようです。

日本で「人生会議」と名づけたと聞いたとき、「大げさな名前だな」という人や

「なんかしっくりこない」という人もいましたが、私はいい名前だと思いました。

会社の会議を連想してしまうと違和感がありますが、私は「家族会議」を連想したからです。

ただ「はじめに」でも書いたように、人生会議という言葉を普及させるのが目的ではないので、この本では「人生をしまうための話し合い」と表現しました。

人生をしまうための話し合いには、話し合っておいたほうがいい事柄がたくさんあります。

ただし、家にいて老衰に向かっている人と救急車で運ばれた若い人では状況がまったく違い、話し合う内容も、会議を構成するメンバーも違います。すべてのパターンについて考えることは不可能だったので、私が経験した中からできるだけバラエティーに富んだ構成になるように、ケースを選んでまとめました。

その中には、死にまつわる不幸よりも、死と向き合ったことで生み出された幸せのほうが大きかったんじゃないかと感じた人もたくさんいます。

命の終わりは誰にでも訪れますが、マイナスよりもプラスのほうが大きくできたら、そして残される人も幸せな気持ちでいられたら、人の死によって社会が不幸になっていくのを防ぐことができる。そういう人ばかりになったら、多死社会も幸せが増えていく社会になるかもしれないと思っています。

それが日本の文化の一つになれば、あとからついてくる、ほかの国にとってお手本にもなるでしょう。

60年ほど前までは、日本では自宅で亡くなるのが当たり前でした。病院に行くとお金がかかるし、いまほど医学の力もなかったからです。その後、健康保険が充実したり医学が進歩したりするにつれて、病院での死が当たり前になり、日常生活では死ぬことを考えなくても困らない時代が長く続きました。

しかし、これからは老衰のような亡くなり方が多数派になり、病院のベッドも増えてはいかないので、病院以外の場所で人生を締めくくる人がどんどん増えていきます。

死について考えず準備もしないで死に直面する人ばかりだと、多死社会は確実に残念な空気で満たされてしまいます。この本で取り上げたよい例のような会話が、日本中でされるようになるといい。患者さんやご家族との会話を思い起こしながら、そんなことを思いました。

この本を読んだ人は、人生をしまうための話し合いを身近に感じてくださったのではないかと思います。

その先はぜひ、若い人だったら親に「もしものときにどうしてほしいとか、考えたことある？」と聞いてみたり、自分は高齢者だなと思う人は「自分の人生会議っていうのをやってもいいか」と家族に聞いてみたり、そんな人が少しでも増える助けになれば、うれしいです。

平方　眞

二〇二〇年三月

人生《じんせい》のしまい方《かた》

残された時間を、どう過ごすか

2020年4月1日　初版発行

著　者　平方《ひらかた》 眞《まこと》

発行人　小林圭太

発行所　株式会社 ＣＣＣメディアハウス
〒141-8205
東京都品川区上大崎3丁目1番1号
電話　販売 03-5436-5721
　　　編集 03-5436-5735
http://books.cccmh.co.jp

印刷・製本　株式会社新藤慶昌堂
編集協力　菅 聖子
ブックデザイン　横須賀 拓
校正　株式会社文字工房燦光

ISBN 978-4-484-20210-5